ちくま新書

香港と日本
——記憶・表象・アイデンティティ

銭 俊華
Chin Chunwah

1498

香港と日本——記憶・表象・アイデンティティ【目次】

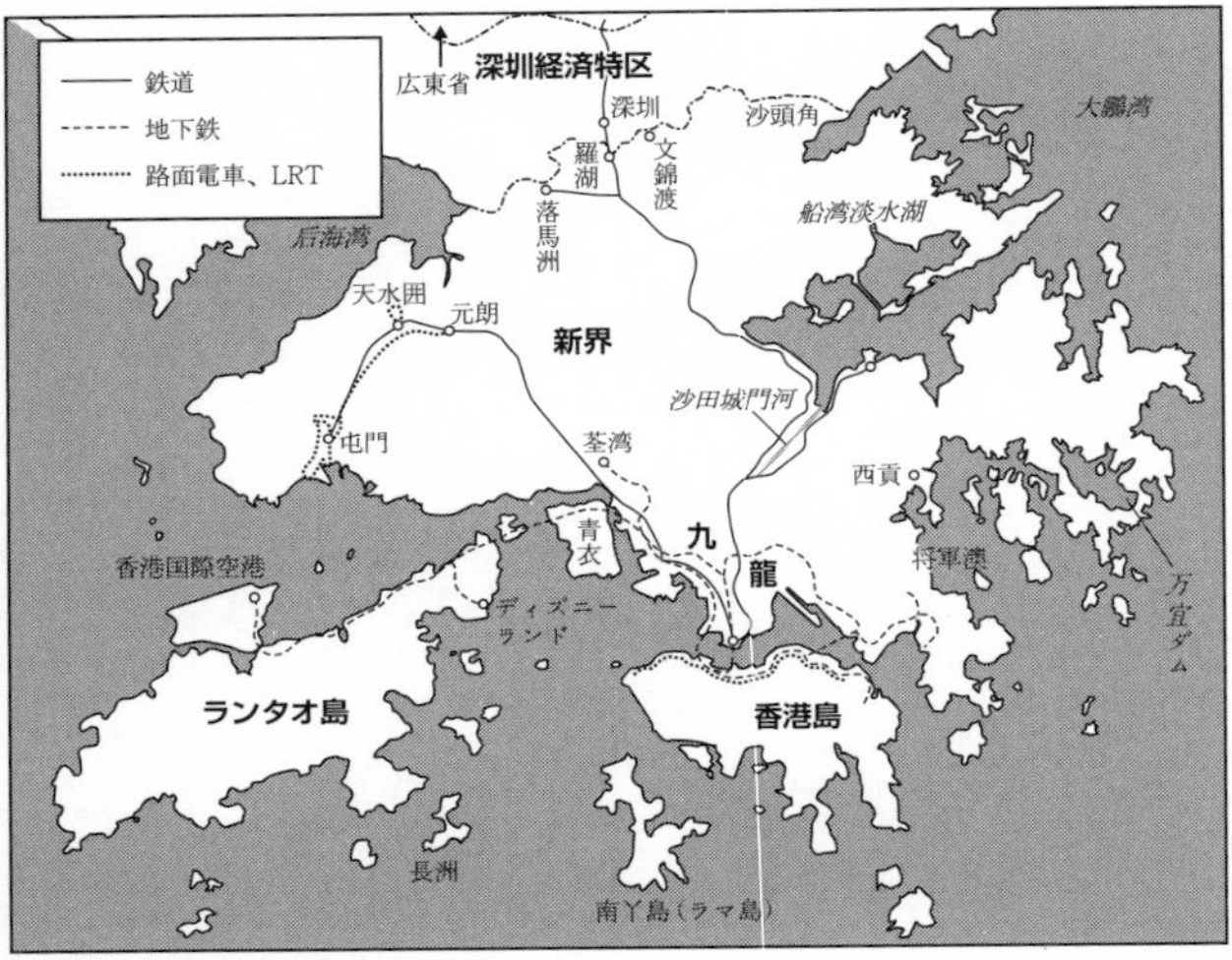

香港概略図（『中国年鑑2014』毎日新聞社をもとに作成）

はじめに

香港とは何か。なぜ多くの香港人は自分のことを「中国人ではない」と言い切るのか。二〇一四年の雨傘運動、さらに二〇一九年のデモの原因は何であろうか。

それらの問題に対し、香港ではもちろん、日本を含めて世界各地の新聞記事、評論、専門書はすでに豊富な情報と分析を提供してきた。しかし香港は依然として、読み解くには難解な物語に違いない。たとえば二〇一九年のデモを、「民主化デモ」と呼ぶ人がいるが、デモの口火は、香港の司法の独立性を侵害する「逃亡犯条例」改正案への反対であったし、デモの長期化の原因のひとつは警察の暴力であった。

香港の民主化は確かに重要で、まさに中国中央政府が警戒しているものであろう。しかし、仮に「民主化」のために命を犠牲にするとしても、なぜ一九九七年の主権譲渡以前のイギリス領だった時代、特に一九八〇、九〇年代を懐かしく思う人がいるのだろうか。もしも中国大陸で明日から国際水準に合致した民主主義を行い、偏りのない三権分立を実行するなら、香港と中国大陸との境界を取り消し、独立した行政、立法、司法、社会と文化制度を排除してもいい、と香港人は思うのだろうか。

一字で香港を表すならば、それは「国」である。むろん、英領時代にせよ、中華人民共和国の特別行政区時代にせよ、香港は主権国家ではない。しかし、戦後から徐々に形成されてきた、都市国家のような主体性を有する「香港」と、その主体性を一九九七年七月一日に継承した「香港特別行政区」は、「国」のような存在なのである。本書ではそれを「準都市国家」と称する。

また、「国」という字を「主権国家」の意味から解放し、「準都市国家」およびこの字が古くから持っている「故郷」「都市」「地方」という意味で香港に応用すると、「香港」という難解な物語はより明晰に解きほぐされていく。一九五〇年代、中国大陸と香港の間の越境はそれ以前より制限され、香港の辺境禁区（香港と中国の国境領域に設立された住民以外立入禁止の区域）も設立された。同時に、香港では人口登録が体系化され、特に七〇年代にインフラ、住民福祉、汚職対策が整い、制度に基づく主体の形成とともに、市民の香港への帰属意識も徐々に現れ始めた。

八〇年代に将来の中国への主権譲渡に直面した多くの香港人は不安になり、移民した人も少なくなかった。その一方で香港に残った多くの人々は、自分のことを「中国人」「中国の香港人」だと思い、繁栄、安定、自由を享受していたため、立ち上がり抵抗する動機もなかった。そのような状況では、中国により五〇年間は約束されている「一国二制度」を信じるしかない香港人が多かっただろう。

九七年の中国への主権譲渡後、二〇〇〇年代に入り、香港ではいろいろな問題があったが、二〇〇八年の北京オリンピックの時は香港人の「中国人アイデンティティ」が高揚していた。しかし二〇一〇年代に入り、中華人民共和国からの「同化」を実感するようになると、過去に当たり前であったような自由、法の支配、公正への追求、自らの言語、教育、生活文化などを、自分たちが失っていることに直面した。人々は「国」の危機に気づいたのだ。

「同化」は「亡国」の危機であり、立ち上がって抵抗するのは「救国」である。そのために死ねば「殉国」とみなす。自らの土地に忠誠を尽くし自己犠牲をしても守りに行く志の集まりは「国魂」と呼ぶ。

改めて強調するが、以上の「国」とは、「主権国家」の意味ではなく、中華人民共和国香港特別行政区という「都市」「地域」、多くの香港人の「故郷」、あるいは「一国二制度」の下の「準都市国家」を指す。

本書は「独立」などの政治的な主張をするつもりはなく、中国大陸を敵視する意図もない。論じたいのは「国」という字が、香港を理解するために不可欠なキーワードである、ということだ。「国」を念頭に置くと、香港と中国大陸との葛藤、および香港アイデンティティの形成を理解しやすくなり、社会運動が簡単に消えていかない力の源も、より可視化できるのである。

本書の第I部は、まさに「国」を念頭に置きながら、筆者自らの記憶と考察を踏まえて書いた文章である。香港の主体性と香港人の香港アイデンティティを構成した制度、言語、記憶、およびそれに対する同化政策を論じてから、二〇一九年のデモにおける恐怖、憤怒、決裂などを語る。第3章の最後は、デモの「小辞典」をまとめた。これを通じて、デモ支持者の心境と香港の庶民文化の一端を感じてもらえればと思う。

第II部では、香港人のアイデンティティ、つまり中国民族意識と香港主体意識と「日本」との関係を論証する。「日本」というように括弧をつけた理由は、論じるのは国としての日本というより、むしろ香港人に想起されたり、語られたりする、記憶としての「日本」、および表象文化における「日本」であるからだ。簡単に言うと、香港人のアイデンティティの変化に関連しながら、日本の大衆文化がどのように受容されてきたのか、その受容がどれほど自由であるのか、ということを述べたい。さらに、香港の映画、文学、SNS、怪談で、中国民族意識、もしくは香港主体意識が現れる際に「日本」がどのように描かれるのかも考察する。なお、戦争の記憶と香港人のアイデンティティとの関係、および「日本」の登場を分析している第6章・第7章は論文をもとにしており他の章より少し堅く感じられるかもしれない。

このように第Ⅱ部では、香港のアイデンティティ問題の新角度、および過去の大日本帝国と現在の日本のソフトパワーの潜在的役割を指摘している。日本の読者の皆さんが香港に対する理解、および日本に対する認識に新たな刺激を得ていただければ幸いである。

＊『広辞苑』『新明解国語辞典』など日本の国語辞典では、一般に「国」の一つの意味として「故郷」「郷里」を記載している。また「都市」については、たとえば『孟子・離婁下』で、「遍國中無與立談者」（國中を遍くすれども與に立談する者無し）の中の「國」（国）は、「城」「都市」を意味する。「地方」あるいは「地域」の例を挙げれば、唐の詩人である王維の詩『相思』の「紅豆生南國」（紅豆　南國に生じ）の中の「國」（国）とは、「地方」「地域」を意味する。

第Ⅰ部「準都市国家」香港

「100万ドルの夜景」と言われるビクトリア・ハーバーの夜景（提供:photolibrary）

第1章　香港とは何か──「準都市国家」を旅する

1　「準都市国家」との初対面

†香港は日本で「存在」しない？

日本に来てからいつも困っているのが自己紹介だ。

「香港出身です」

「へぇえ、香港⁉　中国⁉　ニーハオ！」

「ニーハオ……」

「私は最近、中国語を勉強し始めました！　でも発音がうまくならないから、たまに聞いてもらってもいいですか？　今度中国の高校生活についても教えて！」
「母語は中国語ではないですが、頑張ります！」
「え!?　台湾って中国語じゃないんですか？」

「香港出身」と言うと、多くの日本人は私を中国本土の市民として想像し始め、その後、だいたい私を台湾人だと間違って覚える。

一般人だけでなく、政府も似たような行動をする。

日本の入国管理局が発行する外国人向けの在留カードの「国籍・地域」欄に、香港という地域は何らかの原因で記入されない。香港パスポートを使う在日香港人の場合は皆、「中国」人になり、英国海外国民のパスポートを使うと「英国」人になる。

先日、市役所で転入届を出す際に、いつも通り国籍欄に「香港」と記入した。経験がある事務員はだいたいそれを無視して在留カードの「中国」の情報に従って手続きを進める。しかし今回の事務員は私に「国籍は中国ですから香港を消してください」と言った。私は突然、自分の心臓が熱く脈打つのを感じて、「消さないから」と言いながら「香港」のそばに「(中国)」と記入した。それを見て事務員は「ちょっと確認しに行きます」と素直に言い、立ち上がったが、その戸惑った様子を見て、私は「いいです」と言って、「香港」

を消した。

一方、香港の「存在」を時々感じることもある。日本の外務省や観光局の各部門の発表や統計調査、あるいは学術機関や航空会社などでは、香港は香港として扱われている。国際大会の経験がある選手や年配の方々や企業の偉い人たちにも「香港人」のことがわかっている人がいるようだ。

香港はいつ「存在」し、いつ「存在」しないのか？　日本に来た私は、香港の存在意義よりもっと根本的な問題に直面した。

†香港＝準都市国家

どうしてこのように香港が日本に「存在」しないことについて話したかというと、日本人同様に香港人には香港人としてのアイデンティティがあり、日本同様に香港には自らの主体性があるからだ。私は、そのアイデンティティと主体性を理解してほしい、感じてほしいのである。

一言で言えば、香港は主権国家ではないが、ただの都市でもない。香港は「準都市国家」である。

ここで、本書で私が使っている「準都市国家」という言葉について説明しておきたい。

一九七〇年代から現在にかけて、香港を「城邦《じようほう》」「都市国家」「city-state」、あるいは「準国家」と称する香港や日本や欧米の研究者、評論家が珍しくないが、それらの呼び方は確かに香港の本質を表現できている。「城邦」「都市国家」は古代・中世の概念でありながら、現代の主権国家の概念（たとえばシンガポール）とも重なるのである。

香港の状態は、歴史の中の「城邦」「都市国家」に相当すると同時に、現代の主権国家に準ずるところもある。言葉のニュアンスと香港の曖昧な状態を考えた上で、本書では香港を「準都市国家」と呼ぶことにした。

香港は「準都市国家である」。このことをおさえれば、香港人のアイデンティティ、香港の主体性を理解できるのみならず、ニュースで流れる香港の政治問題や社会運動もよりしっかりと把握できるだろう。

まだ研究者としてスタートを切ったばかりである私がまずできるのは、皆さんと一緒に香港を感じる、ということだと思う。それには皆さんと一緒に自分の故郷を歩きながら色々としゃべるのがよいだろう。

このあいだも、二人の日本人の友達が香港に行くつもりだというので、私が情報を提供したり実際にガイドをしようと思ったが、二人とも香港の情勢で旅を中止した。しかし幸いなことに文字の世界では自由に歩くことができるので、これから皆さんと一緒に香港へ行ってみたいと思う。私は公式のガイドの資格を持っていないし、話も長くて、皆さんを連れて自分の記憶の世界に飛び込んでしまうこともあるかもしれない。それでも構わないならば、しばらく旅の仲間になって、香港という「準都市国家」に会いに行こう。

†ビザフリーと滞在期間

海外旅行へ行くのに、パスポートは不可欠だ。二〇二〇年のヘンリー・パスポート・インデックス（Henley Passport Index）というパスポートの自由度がわかるウェブサイトを見てみよう（以下、二〇二〇年四月七日時点の数字）。このサイトによれば、日本のパスポートの自由度は世界で一位だと評価され、一九一ヶ国・地域でビザフリーやアライバルビザ（現地到着時に空港で取得可能なビザ）が取得できるという優遇がされている。それを持っていればすぐ香港へ飛んでいけそうだけど、やはり確認しておいた方が安心だ。チェックしてみると、香港は確かに日本が優遇されている渡航先のリストの中に入っているので、大丈夫だ。でもちょっと待って、「香港」の上に「中国」がある。香港は中国の一部なのに、なぜ別々に並んでいるのだろうか。

先ほどのヘンリー・パスポート・インデックスの「香港」のところを見てみよう。香港のパスポートはランキングで一九位を占め、一七〇ヶ国・地域で優遇されている。中国の方は七〇位で、優遇される渡航先は七四個だ。

「香港」と「中国」は別々に扱われているらしい。日本人にとっては両方ともビザ免除の渡航先なのだから、そんなことはどうでもいいと思う人もいるかもしれない。しかし、これは香港を理解するための重要な手がかりだ。

高校の世界史で学んだことがある人もいると思うが、現在の香港は、香港（島）、九龍《カオルーン》、新界《ニューテリトリー》という三つの部分で構成されている。その歴史を説明すると、まず、アヘン戦争の敗北で清国が一八四二年にイギリスと「南京条約」を締結し、香港島がイギリスの植民地になった。一八六〇年の「北京条約」で、九龍半島（現在の九龍の一部）もイギリスに割譲され、一八九八年に新界もイギリスに九九年間の租借をされることになった。そして、そのように長くイギリス領であった香港だが、一九九七年七月一日からその主権が中華人民共和国に渡され、中国の特別行政区になったのである。

香港は、中華人民共和国の一部になったが、以前と変わらず国際社会では、中国と別々で扱われる。たとえば、香港と日本は互いにビザフリーの優遇があり、出張や観光などの場合には、九〇日の滞在期間が互いに認められている。一方、日本人が中国へ行く場合には、ビザフリーで認められる滞在期間は一五日だけで、逆に中国人が日本へ行くときはビザが必要になる。

†フライトの体験

それでは、いよいよ日本から出発だ。今回の航空会社は香港のキャセイパシフィック(Cathay Pacific＝国泰航空)にする。キャセイは一九四六年に設立された航空会社で、戦後香港の発展と繁栄に貢献し、現在は世界的に有名な香港ブランドの一つになっている。しかし、最近のキャセイは利用客の個人情報流出事件や、二〇一九年に中国からの圧力によってデモを支持する傾向がある社員を辞めさせた事件があり、もう昔のキャセイではない、と多くの香港人が悲しく思っている。私もキャセイに乗りたくないし、他の航空会社もあるけれど、香港の雰囲気を体験してもらうために今回はちょっと我慢する。

チェックインをし荷物を預ける時、そして搭乗ゲートの前で待つ時、日本人とは化粧や着こなしや話し方が違う人が見つかるだろう。「彼らは香港人だろう」と思うかもしれないが、必ずしもそうではない。

搭乗時間になってゲートの前で客が並び始め、それぞれパスポートをカバンから取り出し始める。日本人ではなさそうな人に注目してみよう。紺色の旅券はおそらく香港のパスポートである。ただカナダ国籍を持って香港で生活している香港人も数十万人はいるので、同じく紺色のカナダのパスポートの可能性もある。

赤色の旅券もたくさん見つかる。中国人はよく香港へ行って、あるいは香港を経由して中国大陸に戻るので、それは中国のパスポートであろう。ただ、人口約七五〇万（二〇一九年時点）の香港人のうち三四〇万（一九九七年時点）、つまり半分くらいが英国の海外国民である。二〇一九年時点で約一七万人が有効な英国国民（海外）（British National〔Overseas〕：BNO）の旅券（香港人はこの旅券もBNOと呼ぶ）を持っている。BNOは赤色である。今後、香港の情勢によっては、有効期間満了となった旅券を更新する人も増える見込みだから、その赤色の旅券がこのBNOである可能性も高いだろう。

図 1-1　香港のパスポート（左）と BNO（右）（著者撮影）

緑色の旅券を持つ人もいる。彼らは台湾人かもしれないし、マカオ人の可能性もある。あるインドネシア人の友達に「マカオは香港の一部ですか？」と質問されたことがある。読者の皆さんの中にもそう思っている方がいらっしゃるかもしれないが、マカオと香港は別である。現在、二ヶ所とも中国の特別行政区であり、香港―マカオ間の往復では、出入国審査が必要である。

†機内で映画を見る

飛行機にいよいよ搭乗だ。手荷物を収納スペースに置いて席に座って、まず目の前のモニター画面をチェックしよう。羽田・成田や関西空港からの飛行時間は平均四時間から五時間ほどなので、最新の映画を見て暇をつぶすのがよいだろう。せっかく香港の航空会社を選んだのだから、香港の映画をチェックしてみよう。香港には自らの映画産業があり、地元出身の脚本家、監督、俳優の他に、中国大陸や台湾出身の人材も多く活躍している。日本の分類だと、アジア映画のなかで「香港映画」と「中国映画」が分かれているし、国際的映画賞だと、たとえばアカデミー国際長編映画賞（旧アカデミー外国語映画賞）を競う際、香港（一九五九年から参加）と中国（一九七九年から参加）は別々とされるのが一般的だ。

和歌山の日本語学校に通っていた時期、ある授業で自分の国の有名人を紹介するセッションがあった。自分が誰を紹介したかは覚えていないが、ある中国大陸出身のクラスメイトがブルース・リー（李小龍）を中国の映画俳優として紹介したことははっきり覚えている。その紹介に対して私は正直、違和感を持った。一九四〇年にブルース・リーはサンフランシスコの中華街で生まれて英領香港で育ち、アメリカで活躍し、香港映画の俳優として世界的スターになった。広東語と英語で話す彼は、どう考えても香港の俳優である。とはいえ、映画の中で彼は華人として、よく日本人や西洋人と勝負する。実際には「何人《なにじん》か？」「どの国の俳優か？」という疑問は、国や流派を問わずに武術の真髄を探し続けた彼には、愚かなものかもしれない。

†客室乗務員たち

香港のテレビ番組やポップ・ミュージックにも同様に自らの産業と体系があって、それらも座席のモニター画面から探せるだろう。ただ私のようにモニターをずっと見ていると目眩いがする人ならば、乗務員を観察するのも面白い。美しい女性の乗務員ももちろんいるが、気になるのはむしろ男性の方だ。香港の男性乗務員の制服はだいたいネクタイとウエストコート（胴着）だが、キャセイの制服には二〇世紀前半の中国の国民政府期の人民服（中山装）風のジャケットも付いている（図1－2）。お気づきの方もいるかもしれないが、このキャセイの制服自体が、香港のように、中華風と西洋風のミックスなのだ。

正直、他の国の飛行機に乗ると、男性客室乗務員の制服は地味なスーツ、あるいはワイシャツで、さらに肩に肩章《けんしょう》が付き、階級章まで装着している。なぜ機長が客室でウロウロ

図1-2　キャセイ・パシフィック客室乗務員の制服（出典：「国泰航空新制服」国泰航空企業伝訊部 2010年12月発表資料）

しているのだろう、と最初はよく思っていた。まるで駅係員がフレンチレストランで接客しているかのような光景だ。見た目の他に、乗務員が何語でしゃべっているのかにも注意してみよう。ほとんどが英語で、乗客が広東語あるいは中国語を話していると自然に言語を転換する。この現象はある程度香港の言語環境を反映しているが、それは後で香港に着いてから詳しく紹介する。

†香港の法律

機内で見えることと聞こえることについて紹介したが、もう一つ空気のような存在を取り上げたい。それは法律だ。日本から離陸した後、香港の航空会社の航空機内で、どの国・地域の法律を守るべきだろうか。ヒントは離陸の直前に流れたアナウンスだ。香港の法律によれば、機内は全面禁煙であり、違反したら××香港ドル以下の罰金刑に処す……

のようなアナウンスがあったはずだ。つまり、答えは香港の法律だ。香港には自らの法律があり、中国大陸や日本と異なり、英米法（コモン・ロー／慣習法）の体系が施行されている。香港の自らの司法制度の長い歴史と信用は、国際的貿易と金融活動の活性化、および外資系企業が集まる重要な要因だ。司法制度だけではなく、「準都市国家」を形作っている憲法――「基本法」（Basic Law）もある。

機内食がそろそろ出るから、難しい説明はここで終わりにしよう。大まかに言うと、香港の憲法と他の法律においては、どんなに政治家を批判しても、天安門事件[1]や中国共産党最高指導者のうわさに関する出版物を持って入国しても大丈夫だし、これからどこかの料理店で犬や猫の肉を食べてしまう恐れもない。それに死刑も存在しない。

忘れるところだったが、はぐれた時に備えて、飛行機を降りる前に私と電話番号を交換しておこう。番号の最初の「八五二」は香港の自らの国番号だが、香港国内でかけるならば外してもいい。後は、警察や救急車や消防士を呼ぶときのために「九九九」を覚えておこう。

2　入国して街へ

†入国と国境

香港へようこそ。一般の旅行者である皆さんはパスポートと入国カードを用意して、入国審査のカウンターに行ってほしい。私は香港住民なので別のルートである。

伝統的漢字（Traditional Chinese＝繁体字・正体字）と英語で記された案内標識を見ても、「入国」という言葉は見つからない。「入境検査」や「訪港旅客」などの標識を探してみよう。香港、台湾、中国大陸でよく使う表現は「入境」であり、香港にとって、「入国」より「入境」という言葉のほうが政治的意味も薄くなる。「国」と書くと、中国政府はおそらく怒るし、特別行政区だから理屈としても変になる。だから香港は、「出入国審査」を含め、自分の境界、領域について「国」という表現を使わない。私がこの本で「入国」や「国境」を使うことがあるが、それはただ日本語の習慣にしたがっているだけである。

カウンターで審査を受ける時に、香港の入国審査官は、英語で皆さんに何と話しかけただろうか？　英語は香港の公用語の一つなので、日本人の皆さんに質問をする時にもだいたい英語を使うと思う。英語の発音には地域差があるので、皆さんに審査官の英語が無事伝わるように……、と祈りつつ、私は日本の入国審査を受ける時のことを思い出してしまう。

日本に入国するたび、私には指紋および顔写真の個人識別を行う義務がある。モニター画面の文字はいつも中国大陸の簡体字であり、音声の指示は中国大陸の中国語である。二〇一四年から二〇一九年九月の訪日外国客数の累計によれば、中国大陸、韓国、台湾に続いて、人口が七〇〇〇万人しかいないのに香港はずっと世界四位を維持していて、五位のアメリカを圧倒している。にもかかわらず、残念ながらモニター画面と音声の指示はいつも間違えている。香港政府の官僚、裁判官、議員、大学教授から、テレビのお笑い芸人やアナウンサー、野菜や魚を売るおばさんやおじさんまで、話す言葉は主に広東語と、流暢だったりカタコトだったりするが英語である。そして書く文字は簡体字ではなく、伝統的漢字だ。これはいい加減改善してほしい。

†香港はほっとする

バゲージクレームのベルトコンベアーから荷物を受け取って、出口に向かっていこう。特に申告すべきものがなければ、税関は素通りしても大丈夫だ。今回は空港を通って入国するので、入国審査や税関職員、あるいは構内の環境は、皆さんにとって特に何か強い印象を与えるものではないと思う。しかし私は、香港ならではの標識や制服の公務員を見ると、やはり懐かしく、安心感を得る。

私の母親は中国の広州で生まれ育って、八〇年代に香港に来るまでずっと広州で生活していた。一九九〇年代後半から二〇〇〇年代初期まで、まだ子供であった私は夏休みの時に、よく広州のお祖母《ばあ》さんに会いに行って、一ヶ月くらい泊めさせてもらっていた。これは香港で仕事を続けている母の負担軽減になったし、お祖母さんや他の親戚にかわいがられるので、私も楽しかった。ただ二週間ほど経つと、やはりまだ子供だったから、どれほど楽しくとも、電話で母の声を聞くとすぐに泣いてしまった。

広州には私が慣れていないものがたくさんあった。グレーの空、行列に並ばない人々、ダサい服、田舎風の広東語……焼売の味だけは香港と変わらなかった。ようやく香港へ帰る日がきたが、再び広州から深圳《シンセン》の羅湖《ローウー》を経由して、香港に着くまでに半日はかかった。

しかしそんな時間のことより記憶に残っているのは、やはり深圳側の羅湖のことだ。羅湖は中国大陸と香港の間に位置し、出入国審査場が設置されている。毎回、広州から羅湖に着くと、「手をちゃんとつなぎな」と母に言われていた。怪しい男性たちが周りにゴロゴロいて、足や手がなくなっている乞食もよく見られた。そして審査場の構内に入っても、照明が微妙に暗くて、シャツの裾をズボンの中に入れていない公務員は、何の安心感も与えてくれなかった。

境界を越え、香港の入国手続きが終わると、本当にほっとした。明るい照明、ピカピカの床、しっかりと制服を着ている税関の公務員。この世界で何かあったとしても「九九九」にかければ、優しい警察や消防士がすぐに助けてくれる。病院に行ってもチップが要らなくて、衛生面でも心配ない。

私にとってそもそも香港はこういう安心感を与えてくれる世界だった。本当に懐かしい。

†「女王の頭」

香港ドルは持っているだろうか。中国の人民元を持ってきてしまった人はいないだろうか。香港では人民元を使えるところもあるが、法定通貨は香港ドルだ。今日からさまざまな場面でお金を使うと思うが、もし緑色の一〇ドル札、あるいはエリザベス英女王の肖像がある「女王の頭」と呼ばれる硬貨を手に入れたなら、ぜひお土産として取っておこう。現在流通している通貨はほとんどが一九九七年七月一日以降発行されたものだ。長らく香港の象徴のひとつであった返還前の硬貨は、ほとんど目にしなくなってきているのである。

現在の香港の通貨は、日本、中国、台湾などと違って、中央銀行によって発行されたも

図1-3　「女王の頭」（著者撮影）

のではなく、香港上海銀行（香港上海滙豊銀行）、スタンダードチャータード銀行（渣打銀行）と中国銀行（香港）という三つの銀行で発行されている（硬貨と紫色の一〇ドル札は香港特別行政区政府によって発行）。札にもコインにも、毛沢東や蔣介石の肖像などは描かれておらず、それぞれの銀行を代表する物や香港の風景や文化を表すデザインとなっている。

†ロンドンの影

それでは、空港から街に出ていこう。日本で移動の際に必須なのが、SuicaやICOCAのような交通ICカードであるが、実は香港にも同じようにオクトパス（Octopus＝八達通）というものがある。オクトパスはSuicaやICOCAと同様にソニーが開発したFeliCa（Near Field Communication〔NFC〕の一種）という技術を使っている。一九九七年にFeliCaを交通手段に導入して、さらに二〇〇〇年代初頭にすでに電子マネーとして社会に普及していたオクトパスは世界の先端だった。

バスに乗って都心部にある尖沙咀《チムサーチョイ》に行こう。乗り場に着くと、目の前には旅行ガイドや雑誌記事でよく見る二階建てバスがたくさんあって、赤色や緑色のタクシーも多く並んでいる。目が利く皆さんはもう気づいたかもしれない。まず、二階建てバスはイギリスのバスメーカー、アレクサンダー・デニス（Alexander Dennis Ltd.）のものも多いが、香港のタクシーはほとんどがトヨタである。さらに、交通は日本と同じく左側通行と右ハンドルである。「まさか一九四一年から一九四五年までの日本占領時期の遺産なの？」と思う方もいるかもしれない。しかし、左側通行と右ハンドルは、やはりイギリスの影響だろう。

図 1-4　街と空港をむすぶ二階建てバス（著者撮影）

ロンドンに行ったことがあるが、確かに香港との共通点が多く、親近感をほのかに抱いた。前述の二階建てバスや左側通行、右ハンドルはもちろん、押しボタン式信号機のデザイン、横断歩道の足元に書いてある「右を見てください（LOOK RIGHT）」と「左を見てください（LOOK LEFT）」の注意書き、ベリーシャビーコン（Belisha beacon: 頭に黄色い球体ランプがついている白黒ボーダーのポール）がついている歩行者優先の横断歩道（Zebra crossing=「シマウマ線」）。これらは基本的に香港と同じだ。

また、香港でも電気プラグは英国タイプの角3ピンを使うので、香港で買った電気製品はそのままイギリスでも使える。変換プラグがなくても大丈夫だ。

あとは、やはり英語である。少し道を聞くだけでも、現地の人の態度やアクセントや言葉の選択には、なんとなく自分の記憶を喚起するものがある。幼児園から高校まで長年の英語学習で、香港人の先生の英語は訛《なま》りがあるがやはりイギリス式であったし、学校のイギリス人先生とときどき交流し、優しく応対してもらった覚えもある。ロンドンで出会った「レディース・アンド・ジェントルメン」の英語は、まさにそういう感じだった。もちろん人種や階級や地域の差によって全然親しく感じることができないイギリス人もいて、香港とイギリス、あるいはロンドンは大きく異なり、共通点を大げさに言うべきではないとも思う。しかしながら正直に言うと、私は中国大陸よりもロンドンの方に親近感がわく。

ちょうど中国とイギリスの話をしたついでに言っておきたいのが、話す言葉のことだ。普通に香港で育って教育を受けた香港人の母語はだいたい広東語で、第一「外国語」は英語で、第二「外国語」が中国大陸の普通話や台湾の国語、つまり日本人が認識する「中国語」である。これから香港人に出会ったら、とりあえず「Hello」と挨拶していい。

図 1-5　香港中心部概略図（倉田徹・張彧暋『香港』岩波新書をもとに作成）

†コンビニの「国民食」

おすすめの料理店を紹介するのは雑誌やテレビ番組の仕事なので、彼らに任せる。「準都市国家」である香港を紹介するのが、私の仕事だ。そこで、皆さんと一緒に行きたいのがコンビニである。

コンビニでインスタントラーメンとカップ麺のコーナーを見てみよう。ご存じの方も多いかもしれないが、香港のコンビニには、日本の出前一丁と日清のカップ麺がたくさんある。香港の「国民食」になった出前一丁だが、コンビニで売られている種類は、ごま油味の他に、チキン味、九州豚骨味、XO醬の海鮮味、黒にんにく豚骨味、東京しょうゆ豚骨味、北海道味噌味などたくさんある。

さて香港には、もちろん自らの食品ブランドもある。出前一丁をライバル視するインスタントラーメンのブランド「公仔麺」や、調味料とレンジ点心や冷凍水餃子などを生産する「淘大」などである。あとは、「維他奶」の豆乳（維他奶、図1-6）、麦豆乳（麦精）、レモンティーなども香港の「国民的」飲み物だと言える。暖かい瓶入りの維他奶を冬に飲むのは、多くの香港人に共通する記憶である。

お菓子のコーナーに行くと、ここはやはり日本ブランドの天下だ。日本の友人にたまに、

「これ食べたことある？」と聞かれるが、申し訳ないことに私は、小さい頃から、カルビーのポテトチップス、かっぱえびせん、きのこの山、アポロ、ベビースターラーメン、ポッキー、ハイチュウ、コアラのマーチ……などを食べている。香港でこれらのお菓子はあまりに当たり前の存在なので、日本のお菓子だと知らずに、香港の商品だと思い込んでいる香港人もいるだろう。

日本産のお菓子はまるで私の世代の「国民食」ともいえる存在だが、香港製のお菓子も負けてはいない。香港には「嘉頓」というクッキーと食パンのメーカーがある。香港の多くのお母さんたちは、家計を助けるために外で働かなければならないが、そのとき家の子供のお腹を空かせないように、嘉頓のクッキーとパンを買っておくことも多い。「四洲」は代理商として日本の菓子を販売する他に、自社の菓子も作っている。

図 1-6　「維他奶」の豆乳（著者撮影）

それらの「香港ブランド」「香港版」、あるいは「香港製」は、独立した制度と規格に基づいて生産された商品であり、世界でも信用されているので、中国大陸の会社と消費者にも人気がある。

さて、到着初日は、ここで終わり。ゆっくり休んで、明日はある有名なテーマパークに出かけてみよう。

3 ディズニーランドと言語

†香港の公用語は「中国語」ではない?

二日目は香港ディズニーランドに行ってみよう(図1-7)。ここを選んだ表向きの理由は、大人気で定番の観光地だからだ。しかし実際の理由は、「催涙弾の打ち放題」がまだこのファンタジーランドでは行われていないので、毒がある化学物質に汚染された空気の中で一日を過ごさなくても良いからだ……という興ざめな話はやめて、「不思議」な旅に出かけてみよう。

香港にあるといっても、ここは中国大陸の観光客向けの施設だと私は思っている。昨日出発してから、機内の乗客や尖沙咀にいる人々のうち誰が香港人か皆さんはわかっただろうか。旅券の種類を確認せずに、周りの人々が香港人かどうか、言語の雰囲気で見分けることができるだろうか。二〇一九年六月以来、デモの影響で中国大陸の観光客が少なくなったが、それ以前は、繁華街やディズニーランドでの人波はほとんどが中国大陸の観光客だったように思う。香港ならではの雰囲気を感じたい日本人の観光客にとっては残念なことかもしれないが、中国大陸からの観光客の人波こそが、まさに近年の香港の雰囲気をつくっているのだ。

図 1-7　香港ディズニーランド（提供：共同通信社）

「ほとんど中国大陸の観光客だ」という言い方は感情的で、もちろん香港人も少なくない。問題は、どのように見分けられるのか、である。見た目より言語で区別すれば、比較的確実である。そのために、まず香港の言語状況について基本的な説明をしておきたい。香港人は何語を話すのか。植民地政府と現在の香港政府が作った冊子やウェブサイトでの日本語の説明によると、香港の公用語は「中国語」と英語である。しかし、もし皆さんが「ニーハオ」（你好：日本語の「こんにちは」）と香港人に挨拶したならば、相手は不機嫌になるかもしれない。なぜかというと、話し言葉としての公用語は広東語で、広東語では「ニーハオ」とは言わないからである。では、なぜ香港政府は公用語を「中国語」と説明するのか。この疑問に答えるにはまず、「中国語」の概念を明らかにしないといけない。

「中国語」は、香港の漢字で書くと「中文」「中國語文」になり、英語では「Chinese」「Chinese language」になる。香港にとっての「中国語」、つまり「中文」「中国語文」「Chinese」「Chinese language」は、日本人が理解する中国大陸の共通語である「中国語」(たまに北京語と言われる)、つまり「普通話」のことではない。

そもそも、「中国語」には書き言葉と話し言葉という二つのシステムがある。伝統的漢字(Traditional Chinese＝繁体字・正体字)と簡体字との区別、つまり字体のことを別にして、書き言葉は古代でも現代でも、中華世界のどこでも基本的に共通している。

しかし、話し言葉は、地域によってばらばらだ。漢字や漢文を音読する際には、広東語、上海語、閩南語、北京語などの各言語それぞれの発音によって読むことができる。日本、韓国、ベトナム、それぞれに漢字の読み方がある現象と同様だ。さらに、書かれたものを読むのではなく、直接に言語を使って交流をする際、広東語、上海語、閩南語、北京語などは、書き言葉とは少し違った話し言葉として存在する。つまり、「中国語」の本来の意味は、こうして異なっている、中華世界の各地域の漢民族の各言語の総称なのである。

二〇世紀のあいだに行われた中華民国と中華人民共和国の言語政策、つまり中国大陸で行われた、北京語に基づいて作られた標準語である「国語」「普通話」の流通と使用の強制に伴い、現在「中国語」というと、一般的にはこの「国語」「普通話」だと理解されている。しかし香港はイギリスの植民地であったし、今は特別行政区であるので、言語状況は中国大陸とは異なっている。香港の話し言葉の公用語は広東語と英語であり、漢字を読む時には広東語の発音を使い、文章を書く際には伝統的漢字を使う。「中文」「中国語文」「Chinese」「Chinese language」は、中国大陸や台湾の人々にとって、「普通話」「国語」と同様だけれども、香港人にとっては「広東語」とほぼ同一なのである。

さて、元の話に戻ろう。香港の言語状況がわかっても、周りの人の発音を聞くだけでは、すぐに香港人か中国大陸の人かは区別できないだろう。失礼な話であるが、私は昔香港で初めて韓国のドラマを見た時に、日本のドラマだと思っていた（韓流ブームの前は、韓国の存在を無視していたとさえ言える）。その後もしばらく区別ができず、知らないドラマやポップソングに出会うたびに、音声を聞いて、これは日本語か韓国語かと自分にクイズを出していた。だから、皆さんも同様にすぐに区別はできなくても、広東語と普通話は違うということを念頭に置いてくれるだけでもありがたいと思う。話し言葉としての広東語と普通話との差はスウェーデン語とドイツ語の差より大きいと言われているので、少し慣れたら区別できるようになるはずだ。

†キャラクターの訳名から見る香港の言語

アトラクションの待ち時間は長い。行列で周りの人が何人《なにじん》かを当てるのが私の趣味だが、せっかくディズニーに来たのだから、かわいいキャラクターの話もしよう。

「Toy Story が好き？　私が好きなキャラは Woody。あの……宇宙人もめっちゃかわいいね！　え？　知らない？　あの宇宙人だよ！　緑色で三つの目が……」

「あー！　エイリアンたちだね！」

「そそ！　嫌いなのはあの Buzz……」

「バズ・ライトイヤー？」

「そそそ！　Woody から Andy の愛を奪いたがっていたよね？　最初の頃」

香港人である私が日本人の皆さんに『トイ・ストーリー』の話をしたら、おそらく以上の感じになるだろう。子供の頃見ていた『トイ・ストーリー』は広東語の吹き替えだったので、キャラクターの名前を言いたい時に、英語の訳名を時々思い出せなくて、かといって日本語の訳名もわからず、なかなかうまく話すことができない。また日本人だけではなく、台湾や中国大陸の友達とそのような話をするときも、同じことがよく起きる。三つの地域はそれぞれの制度、市場、社会、文化、言語、習慣と好みがあって、海外の映画やアニメなどの大衆文化の商品についても、自らの状況に合わせて翻訳をしているからだ。

たとえば『トイ・ストーリー』は、台湾と中国大陸でのタイトルの訳名は『玩具総動員』(おもちゃ総動員)であり、香港では『反斗奇兵』(わんぱくな奇兵隊)と言う。ウッディやバズ・ライトイヤーなどの多くのキャラクターの訳名は一致しているが、おもちゃの持ち主のアンディなどは、中国大陸では「安迪」と直訳し、台湾では「安迪」や「安弟」と訳されている。発音はオリジナルの「Andy」になるべく忠実であり、日本語の「アンディ」と似ている。しかし香港では、発音より意味を重視して、「安仔《オンザイ》」と訳している。香港の「~仔」は日本の「~君」と同様に親しみの感じがあって、まさに香港の観客向けに特化した訳名と言えるだろう。

もう一つの代表例はリスのキャラクター、チップとデールだ。このあいだ、大学で所属しているサークルでコスプレのパーティーがあって、チップとデールに扮した二人がいた。日本人の友人たちはその二人に「これはチップ?　それともデール?」と声をかけていたが、私にはすぐわかった。強そうな門歯があるのがチップで、大きい鼻があるのがデールだ。この作品の題名の香港での訳がチップとデールそれぞれの体の特徴を翻訳して、「鋼牙与大鼻」（鋼の歯と大きい鼻）なので、私は二匹をすぐ見分けられるのである。一方、中国大陸と台湾での訳名は、音に漢字を当てていて、「奇奇与蒂蒂」（チーチーとディディ）という。

このように音訳より意訳の方を重視するのは、香港の習慣というか、清国末期、民国初期の伝統の継承とも言えるだろう。ピラミッドの中国語の訳名は「金字塔」だということは皆さんご存知だろうか。一九〇四年に康有為が提出した意訳であるが、ピラミッドという塔の形は「金」という字に似ているだけではなく、ピラミッドを作るためにどれくらいのお金と命をかけたか、中にはどれくらい高価な宝が入っているか、すべての連想がその翻訳につながっていると言える。

実は、日本のサンリオやポケットモンスターのキャラクターの名前、さらに宮崎駿の作品の題名などの多くの翻訳も、香港、台湾、中国大陸でそれぞれのバージョンがある。

†香港人は英語がペラペラ?

香港の言語状況というと、英語の公用語化と普及もひとつの特色だ。話し言葉としての広東語と書き言葉としての中文とともに、政府、立法・司法機関、および交通機関の案内板やアナウンスなどでは英語が使われている。ディズニーランドのような大手テーマパークも言うまでもなく、英語で案内を提供している。

スタッフは多くの香港人と変わらず、「Hello」と皆さんに挨拶するだろう。英語でスタッフに何かを聞いてみたら、間違いなく英語で答えてくれる。そうすると、香港人は英語がペラペラだと思うかもしれないが、必ずしもそうではない。

香港で教育を受けて育った香港人は小さい頃から英語を学び始める。大学に進学するために、英語レベルは少なくともIELTSの六・〇、つまりTOEICの七四〇〜八二〇点くらいが必要だ。しかも英会話も重視される。だから若い世代、特に大学生には基本的に英語が通じる。

具体的に、香港社会で英語はどのように使われているのだろうか。

まず、話す時である。もちろん広東語を使うが、そこに英語の単語がよく混ざる。昔、中国大陸の友人からこういう質問をされた。

「大陸のほうの友達にさ、香港人の同僚がいるのがひとりいるんだけど、「あの香港人は普通話を話せるのに、よく英語の単語を使ってさ、かっこつけているんじゃないの？」って、文句を言ってたよ。本当にそうなの？」

確かにかっこつけている人もいると思うが、意識していない人の方が多いだろう。イギリスの植民地だったし、働いていれば、現在も多くの外国人の客と社員がいる。英語の文化が知らないうちに社会中に浸透していて、英語の単語を使わないようにしようと思っても、対応する広東語の単語がなかなか思い出せないなんてことも多い。わざと広東語を話すと、逆に違和感を人に与えることになる。たとえば、会社の場合だと、以下のような会話がよくある。

「email を client に send した？ 今晩の meeting の agenda を print した？ あ！ そういえば、前回の minutes は？ まだやってない？ 君、OT（Overtime＝残業）したくないなら、ちゃんとやりなさい！」

日本語の中の外来語もこういう感じではないだろうか。この例文にある「クライアント」や「ミーティング」「プリント」などもよく使う単語だろう。ただ、日本語はカタカナの表記方法があって、直接に外来語を日本語のシステムに入れられるが、香港ではそういうことができない。そのため英語の単語をそのまま、広東語と混ぜて使う現象が出てきたのである。

今このディズニーランドでも、似ている現象がつねに起きている。香港の親と子供たちの間ではこのような会話がよくあると思う。

「Wee wee したい……」
「え？　poo poo したところじゃ？　でもそろそろ私たちの番だよ。Anna と Elsa と写真撮ってから行こうね」

ここで何が話されているかわかるだろうか。「wee wee」と「poo poo」はおしっことうんちの意味だ。「Anna と Elsa」は映画『アナと雪の女王』のキャラクター、アナとエルサだ。「wee wee」と「poo poo」については、昔はそんなに一般的ではなかった気がするが、現在は中流階級の親子や彼ら向けの幼児園や小学校で使われており、労働者階級でも使用は少なくないだろう。キャラクターの呼び方については、アナとエルサのみならず、ミッキーやミニーやクマのプーさんなど、それらを直接英語で呼ぶこともわりと普通である。

†SNSから見る香港の言語の特色

もう一つの現象はSNSに関係する。日本ではLINE、Twitter と Instagram が一番よく使われている。香港でも Instagram は人気だが、LINEと Twitter よりも Whats App と Facebook のほうが人気がある。

WhatsAppはＬＩＮＥと同様に友達とメールしたり、グループで情報を交換したりするアプリだ。日本ではＳＮＳを使う際、当たり前のように日本語を使うだろう。しかし香港では、相手の教育背景によって、話し言葉の広東語を書き言葉として入力することもあれば、英語で入力する時もある。

前者はまさに言文一致を体現するものである。後者については、香港の小学校、中学校、高等学校には中文学校と英文学校があり、基本的に偏差値が高い学校は「中文」という科目（日本の「国語」に相当）以外、全科目を英語で教えている。英語に慣れた英文学校出身の生徒たちは、ＳＮＳで英語を使う傾向がある。

私は中文学校出身なので、中高時代の友達とWhatsAppする時はだいたい広東語を使う。でも大学時代の友達、あるいは英文学校出身の友達とWhatsAppする時には、彼らに合わせて英語を使うことがある。面白いことに、結婚の発表や訃報への返信などの話をする際に、わざわざ英語を使う時もある。個人的な感情が溢れて、なかなか適切な言葉を選べない母語より、むしろ英語の方が少し抑制した感じで書けるからだと思う。

中文より英語を使うもう一つの理由は、入力の早さである。日本語を入力する際は、携帯ならば、テンキータイプでひらがなやカタカナを選ぶ。パソコンの場合だと、フルキーボードタイプで、アルファベットを選んで入力する。中国大陸はどちらでもアルファベットの発音表記法である拼音《ピンイン》で入力するのが一般的で、台湾だと、日本のひらがなのような注音の入力方法を使う。どちらにせよ、日本と同じく文字の音によって入力する。

香港では、中国大陸の拼音や台湾の注音による入力方法を使う人もいるけど、多くの人は「倉頡《そうけつ》」や「速成」など、漢字の部品の分解に基づく入力方法を使用する。たとえば、「倉頡」を使うと、「東京」と打ちたい時は、「木田↓東」「トロ火↓京」とする。つまり、形がわかれば発音がわからなくても入力できるのである。逆に、いつも話している言葉なのに、その漢字の分解の仕方を知らないと、画面の前で入力できなくて焦ることもある。これは、もしうまく操作できればとても便利だが、時間をかけて慣れないといけない方法でもある。だから、英語が上手で、「倉頡」、「速成」、拼音、注音などに慣れていない一部の香港人が、SNSを英語でしているのである。

私の母親は中国大陸の広州出身なので、母語は広東語だけど、習っていた漢字は簡体字だった。英語も、スマートフォンの操作もうまくできない。だからWhatsAppを使う時には、音声入力の他に、いつも指で画面に簡体字を書く。繁体字・簡体字を問わず、おそらく年配の労働者も、この「手で書く入力方法」をよく使う。

4　同化政策のなかで

†香港の誕生日

さて、ディズニーランドを出て、香港の都心部を再び訪れて、香港という「準都市国家」を理解するヒントを探してみたい。ところで、そこに行く前に、ひとつ話しておくべきことがあった。基本事項である香港の誕生日について、まだ説明をしていないのだ。実は答えがややこしくて、私にも正直よくわからない。香港特別行政区の誕生日は一九九七年七月一日だとはっきり言えるが、香港自体の誕生日はいつなのだろう?

一九九七年七月一日に香港特別行政区は誕生したが、それで香港が大きく変わったわけではない。香港の防衛を担当して駐留する軍隊は、イギリス軍に代わって、中国共産党の人民解放軍が進駐してきた。あとは、国旗、国歌、および香港自体の旗も変わった。憲法は「英皇制誥」(Hong Kong Letters Patent)と「皇室訓令」(Hong Kong Royal Instructions)から「基本法」に変わったが、香港は依然として「準都市国家」として存続しており、自らの政府、立法機関、司法機関、独立した経済体系、教育制度、文化政策、社会福祉などを有している。移民せずに香港で暮らし続ける公務員、議員、裁判官、医師、弁護士、教師、サラリーマン、ドライバー、子供たち……人々は、以前と変わらず生活している。だから、一九九七年七月一日は特別行政区の誕生日だけど、決して香港の誕生日ではない。

香港には南京条約の締結以来約一八〇年の歴史があるということは、私を含めた多くの香港人にとって暗黙の了解だ。では香港の誕生日は、南京条約が締結された一八四二年八月二九日なのだろうか。そう考えてもいいと思うが、南京条約によってイギリスに割譲されたのは香港島のみだったということに注意しなければならない。もちろんその直後に英皇制誥が発布され、政府によってインフラや衛生環境の整備、治安の維持、教育機関の設置などがあり、まもなく一八六〇年の北京条約によって香港島からビクトリア・ハーバーを越えて向こう側の九龍半島もイギリスの領土になり、さらに隣接する新界も正式に一八九八年に支配下に入った。今の香港の原型はこのとき出来上がったといえるだろう。

ただ、現在と違うことも多い。当時は、中国大陸と香港間の移動は基本的に自由であり、人口は流動した。入国審査と人口の移動が厳しくなったのは第二次世界大戦後、中華人民共和国の成立と同時のことである。その後身分証明書（IDカード）の制度が導入され、登録人口もより精緻にわかるようになってきた。五〇、六〇年代を経て、特に七〇年代には、戦後すぐには六〇万程度だった人口が四〇〇万を突破し、軽工業の発展、住宅、義務教育、社会福祉の整備、政治参加の漸進的な活性化にともない、香港はようやく皆さんの現在のイメージに近づいてきたと言えるだろう。

香港の誕生について、機会があればまた詳しく話したいが、とりあえず、香港については、誕生日という特定の日よりも、ここまで述べてきた「過程」が大切なのだと考えていただければ幸いである。

†香港というビジネス

まずは香港の都心部にある中環《セントラル》駅の辺りに行ってみよう。このあたりには、第二国際金融センター、証券取引所であるエクスチェンジ・スクエア（交易広場）、大手銀行の本店がある。そして香港政府庁舎と立法会議所の隣には中国共産党の人民解放軍駐香港部隊の司令部と基地があり、道路を渡ると最上級裁判所である終審法院があり、そこから少し山を登るとアメリカの総領事館がある。これらが存在する中環自体が、まさに香港というビジネスの表象だと言えるだろう。

超高層ビルの間に、四角形の大きな芝地があって、その真ん中に一本の石碑が立っている。これは平和記念碑と呼ばれるもので、第一次世界大戦および第二次世界大戦で犠牲となった戦没者を記念するための石碑だ（図1-8）。香港は第二次大戦のほうに大きく巻き込まれ、多くの犠牲を出した。つまりこの石碑は、大日本帝国が香港の経営を独占しようとして香港を侵略し、英軍がそれに抵抗して犠牲を出した、その歴史を記憶にとどめている（第6章参照）。

図1-8　平和記念碑（著者撮影）

　中環には、見るべき光景がまだたくさんある。今日は日曜日だから、中環ではにぎやかな一つの現象が起こっている。終審法院の隣のスタチュー・スクエア（皇后像広場）とその周辺の地域で、香港に出稼ぎに来ている大勢のフィリピンやインドネシアの女性たちが集まっているのが見られるのである。彼女たちは主にメイドやベビーシッターとして雇用者の家に住み込んで働いており、休日に出かけてきているのだ。また、この辺りの各大手銀行の本店も香港と東南アジアとのつながりを表す象徴である。中国大陸と東南アジアとの間の架け橋として香港の銀行が提供する送金サービスには、一〇〇年以上の歴史がある。

図1-9　重慶大厦（提供：photolibrary）

尖沙咀に戻り、日本で「一〇〇万ドルの夜景」と言われているビクトリア・ハーバーの夜景を見てみよう。香港で生まれ育った私は、この夜景を何回も見たことがあるけれど、やはり見るたびに迫力を感じて、「きれいだ」と感嘆してしまう。向こう岸には三〇階から七〇階建てぐらいの超高層ビル群があって、一番高いのは約九〇階建てで四〇〇メートルにも達する第二国際金融センターだ。

目の前の超高いビル群と輝いているライトのために、どれくらいの等価交換をして犠牲が払われたのだろう？　川のように狭くなった港、何世代にもわたる労働者の人生、捨てられた夢、自由と正義……。

彌敦道《ネイザンロード》を北に向かって歩くと、香港最大のイスラムモスクと一二〇ヶ国の出身者が集まっている重慶大厦《チョンキンマンション》がある（図1－9）。重慶大厦には、携帯電話の買い取り店、両替店、料理店、雑貨店などさまざまな店を経営するアフリカ、中東、南アジア出身の人々が集まっており、正門から見るとまるで異世界のようだ。近づくとカレー屋の店員は積極的に皆さんのことを誘うと思うが、特に心配は要らない。香港で生まれ育った住民も少なくないとは思うが、ここの他の多くの外国人にとって、香港は、ただ商売と貿易をする場所にすぎないと思われる。

†香港の変調と同化政策

世界各国の人々と香港人は、香港というビジネスの経営者であると同時に、お客さんでもある。忙しい売買は日常だ。多くの香港人は儲けることもできず移民することもできなくとも、この香港というビジネスだけで、一応生活ができるはずだった。政府のような勢力が強い経営者に不満があったとしても、それを強く批判しながら、美味しい食べ物を買ったり、歌を歌ったりしていた。

これが私の記憶にある香港だ。しかし、今は違ってしまっている。

中国大陸の政権によってこのビジネスの争奪戦が始まり、勢力の均衡が崩れてきたのである。まずは中国政府の政策の変更かつ中国・香港間での条約の締結(たとえば二〇〇三年の経済緊密化協定:CEPA)によって、中国本土住民の香港個人旅行(「個人遊」/「自由行」)がどんどん解禁された。これをきっかけに大勢の中国大陸からの観光客が香港に押しかけることになった。彼らには自らの習慣と考えがあり、それは香港人と違っているが、香港人は彼らを大歓迎した。なぜなら彼らが来ることで、頭を使ったり新しい挑戦をしたりしなくても、たくさん儲けられるようになったからである。

しかも二〇〇三年に香港は中国南部の広東省を起源とした重症急性呼吸器症候群（SARS）に襲われており、そのため多くの香港人が長い不況に陥ることを恐れ、個人旅行の解禁を歓迎した。そして香港では、地元民向けの店ではなく、中国からの大勢の客の好みに合わせて、薬局と宝石店が次々と出来ていった。大陸から来た人々は、香港で売っているヤクルトや粉ミルクやフェレロ・ロシェ（チョコレート）は中国大陸のより信用できて、為替レートの関係で値段もわりと安い、と思っているそうだ（個人用の他に、大量に購入して大陸に密輸して転売することもある）。

また他にも、中国大陸からのお金によって不動産投資がより活発になり、不動産価格と賃料が異常に高いレベルに達してしまったというような影響もある。

多くの客はただ遊びに来るだけだが、中には自分のお腹の中の子供に香港の永住権を取るために、わざわざ香港に入国して出産する人もいた。お金持ちであれば、香港の病院の予約をしているが、そうではない人は、産む段階になってから病院に行き（運ばれて）、子供を産む。そうすれば、両親が香港住民ではなくても子供は香港住民になれるのである。

この子供たちのことを「双非」（両親も香港住民ではない）と言う。

また、中国大陸から移民として来る人たちもいる。香港政府は出入国の審査権を持っているが、移民の審査権は持っていない。香港当局には自らの規定があり、中国大陸当局と締約した移民の基準もあるが、移民を申し込んだ中国大陸の住民への審査は中国大陸当局が行っている。

このように、香港に短期滞在・移民する中国大陸の人は多くなっていった。もし香港が中国大陸の政権と対等で、牽制する力を持っており、また主権国家として、あるいは特別行政区として民主主義に基づく普通選挙があって一国二制度がしっかり守られるならば、中国大陸からの客や移民は問題にならず、むしろありがたいと私は思う。しかし、普通選挙を除きいま述べたような諸条件はまさに一九九七年より前に存在したものなのだ。現在はそれらの条件は守られていない。このような状況において、中国大陸の政権と一九九七年以降の香港政府の、多くの観光客や移民を入れ、大陸の文化を取り入れる動きは、簡単に言うと、人口による同化政策と言えるだろう。

同時に、普通話や簡体字の使用が頻繁になってきた。これには、「祖国」との統合、経済の利益（市場の開拓と就職の機会）、香港人の「中文」レベルが低いなど、いろいろな理屈がつけられてきた。統合したければ、なぜ特別行政区を作って一国二制度という約束をイギリスとしたのだろうか。普通話が下手でも欧米や中国本土を含めてアジア諸国で活躍している香港人は数え切れないほどいる。それに香港人は台湾のドラマやポップソングを味わうだけで特に勉強しなくても普通話が話せるようになるので、香港では普通話の普及圧力と広東語への圧迫は必要ないと私は考える。また香港人の書き言葉としての「中文」が本当に下手なら、香港文学は存在していないだろうし、作詞家である林夕や黄偉文が書いた作品が台湾や中国大陸で流行ることもなかっただろう。

†インフラによる同化

今回の旅は香港を中心とするが、多くの観光客は香港のついでにマカオにも遊びに行く。また香港を経由して中国大陸に行く人もいると思う。それらの観光客にとって、二〇一八年に「広深港高速鉄道」（高鉄：広州・深圳・香港高速鉄道）、および香港、マカオと中国本土の珠海を結ぶ「港珠澳大橋」が開通したのはありがたいことだろう。

しかし、香港にはマイナスの影響もある。たとえば広深港高速鉄道と港珠澳大橋（橋に接続する道路の建設と工事を含む）のために香港が払った総額は二〇〇〇億香港ドルに近づき、大変高額である（二〇〇〇億香港ドルはそろそろ三兆円に至り、つまり二〇二〇東京オリンピックの予算に相当する）。

より注目したいのが、政治的な意図だ。道路と鉄道の建設は、軍事的な理由があるのはもちろん、ある地域への支配のシンボルにもなる。もちろんたとえば英仏海峡トンネルは、イギリスのフランスへの支配、あるいはフランスのイギリスへの支配を表しているとは言えない、と反論する人もいるかもしれない。しかし、先ほど述べた通り、香港・中国大陸両地域の力のバランスの不均衡を無視してはいけない。香港政府は香港人によって選ばれた政府ではないし、中国政府、特に二〇一〇年代以降の政権は昔の英領香港政庁・イギリス政府のように自らの権力を制限するわけでもない。ここにおいて道路と鉄道の建設は、中国の香港支配の象徴的な意味を強く持つのである。

さらに、より実際的な政治的意図は高鉄の西九龍駅構内に見出すことができる。この駅自体は観光するには面白い場所ではないのだが、「準都市国家」香港に巡りあう旅で訪れるべき場所なので、是非とも行ってみよう。

駅構内の地下二階と地下三階には、中国本土側の出入国審査場も設置されている。香港から出国して中国本土に入国するためには地下三階を経由するのだが、香港の出国審査を通過してしばらく歩くと、多くの乗客が急に止まって写真を撮り始める。一見して何の特別な場所でもなさそうだけど、近づいて見れば、香港と中国本土の国境線だということがわかる。片足は香港に、片足は中国本土にと、国境をまたがって写真を撮るのが人気らしい。栃木、群馬、埼玉の「三県境」が観光地になったのと同じだ。

しかし、何度も述べているが、香港はただの都市ではない。香港と中国本土の国境線を越えることは、自分を守ってくれる憲法、法律、外国政府による介入などの状況がまったく変わってしまうことを意味する。問題は、国際社会に信用されていない中国の法律が香港の高鉄の駅構内（西九龍駅地下二階と地下三階の中国側が管理する範囲）、つまり香港の中心部（目の前はビクトリア・ハーバーで、隣は尖沙咀）で効力を持つということだ。二〇一九年八月に中国政府に拘束された英国駐香港総領事館の職員である鄭文傑は、まさに高鉄の駅構内で捕まえられたのである。

香港の領域内の中心部に中国本土の出入国審査場を設置するようなことを「一地両検」と言う。この「一地両検」はまるで治外法権のような存在だとよく批判されるが、すでに香港の日常になっている。

地理的同化政策というと、高鉄と港珠澳大橋の他に、グレーターベイエリア（広東・香港・マカオ大湾区）の計画と香港の新界東北の開発も有名だ。簡単に言うと、出入国の審査をなるべく簡略化して、香港と中国本土の南部都市との間で道路や鉄道の連結を強化しながら、両地の間の経済交流を活発化させて、香港の経済的機能をなるべく利用するというものだ。

同時に、中国・香港政府は、それにより両地の人口を逆方向に流動させる。つまり住宅や就職のために香港人は中国本土に行き、中国本土の人々が香港に観光したり、出張したり、留学したり、就職したり、移民したりするようになったのだ。現在の新界東北の多くの土地は、野原や農地や廃車・不用品の回収所などになっており、いわゆる未開発の土地が少なくない。香港の新界の北や西の方の山に登ると、現在なお残っている植民地時代からの国境の景観が見られるが、香港の方は広くて平たい新界東北の平野であり、中国本土の方は深圳で、高いビル群が国境線に沿って深圳川から西側の海岸線まで伸びている。この植民地時代の地政学により生まれた緩衝地帯の景観の違いは、同化政策にともないそろそろなくなりそうである。

†香港人が信じるもの

以上、ここまで地理、交通、人口、言語をめぐる同化政策の話をそれぞれ少しずつ紹介してきたが、もちろん同化政策の事例はまだまだたくさんある。

その中でも、日本で有名なのは言うまでもなく二〇一九年の「逃亡犯条例」改正案だろう。一言で言うと、もしその改正案が可決されていたならば、香港の独立した司法制度に守られているはずの、階級・国籍を問わず香港にいる人々が、中国の法律の名の下に中国本土に引き渡されるおそれがあった。
または銅鑼湾《コーズウェイベイ》書店の事件だろう。香港の繁華街の銅鑼湾にあった中国のリーダーや政府・共産党を批判する本を売る書店の店長や株主らが二〇一五年に相次ぎ行方不明になった事件だ。この事件で、人権保障、言論の自由が踏みにじられ、香港はまるで中国本土と同様になってしまった。

悲観的に考えれば、今後香港は、少しずつ国際的な自由都市から中華人民共和国のひとつの都市になっていくのだろう。それにより何が起こるのか。たとえば現在、香港の医療技術、医師と看護師のレベルは世界のトップクラスである。しかし政府や親中派の議員はよく、中国本土の医師を導入しようと言う。もちろん中国本土にも素晴らしい医師はいると思うが、やはりその導入は香港の医療を危うくすると、多くの香港人は思っている。

香港人が信じているのは世界トップクラスの大学による専門教育だけでなく、医療制度、医療倫理、それらを支えている公正性がある司法機関、有力な市民社会、社会規範と道徳観である。万が一、旅の途中で体調が悪くなったり、何かの事故に巻き込まれたりしたとしても、日本にも負けないプロの救急隊や消防隊がすぐに助けてくる。怖い感染症をうつされて病棟閉鎖になってしまったとしても、香港の医師と看護師は逃げないし、絶対に命がけで皆を助ける。これが私が知っている香港である。しかし、同化政策を進め、香港が中華人民共和国の一都市になるにつれて、それらの存続も危うくなるだろう。

†香港のオリンピック・チャンピオン

最後に向かっているのは中環から船で約三五〜六〇分かかる長洲《チユンチヤウ》という島だ。長洲は有名な観光地であり、美しい自然環境、漁村の風景、海鮮料理、乾物、長洲饅頭節などが有名だ。でも私はいつも通り、日本でも有名なものについてはあまり話したくない。最後に話したいのは、長洲出身のオリンピック・チャンピオンのことだ。

香港初のオリンピックメダルを獲得した、元セーリング選手の李麗珊は長洲出身だ。彼女は一九九六年のアトランタオリンピックで金メダルを獲得している。一九九二年に生まれた私は当時テレビ中継を見ていたかどうかは覚えていないが、小さい頃から「風の女王」（風之后）である「珊珊《シャンシャン》」のことと、彼女の名言「香港の選手はゴミじゃない」は知っていた。

香港には自らのオリンピックチームがあり、一九五二年のヘルシンキオリンピックから参加している。一九九七年の主権移譲の前、香港はそのまま「香港」という名で参加していた。一九九六年に李麗珊が表彰台の真ん中に立った時に流れた国歌は「女王陛下万歳」（God Save the Queen）だが、掲揚された国旗は英国国旗のユニオンフラッグ（Union Flag）

ではなく、香港旗（Hong Kong Flag）だった。当時の李麗珊は表彰式の直後、香港のテレビ局TVBの取材を受けた際、「香港の国歌が聞こえて、ようやく香港の旗が真ん中に置かれて、本当に嬉しかったです」と語った。

主権移譲の後も、香港のオリンピックチームは依然として出場している。名前が「中国香港」になったが、香港人と国際社会は相変わらずこのチームを「香港」チームと呼んでいる。二〇〇四年のアテネオリンピック卓球男子ダブルスの決勝戦は香港対中国であり、香港は初めて銀メダルを取った。二人の選手は中国広東省からの移民だったが、香港人に愛されて、「卓球のふたりの宝」（乒乓孖宝）という愛称がつけられた。二〇一二年ロンドンオリンピックでは李麗珊と同様に香港で生まれ育った李慧詩が女子ケイリンで香港初の銅メダルを獲得した。

三回の壮挙どれもが香港人を励ましたが、私はやはり最初のメダル獲得に一番心惹かれる。イギリス国歌や香港旗、香港で生まれ育ったかどうか、金か銀か銅かは理由に関係ない。何より、島と帆という連想が最も「香港らしい」と思うからである。小さな島から出航し、帆を張って世界へ挑戦しに行く。一九九六年のその夏に、「香港の選手は必ず第二、第三、第四の金メダルを取ることができると私は信じている」と李麗珊は言った。

しかし香港にそんな未来があるだろうか？　未来にも香港はあるのか？　と、私は一抹の不安を覚える。「準都市国家」である香港がいつかその主体性を失えば、オリンピックやワールドカップに出場できる「香港チーム」や「香港選手」も存在しなくなってしまうのである。

第2章　香港の主体性——国籍・「中国」・日本

1　アイデンティティと国籍

†アイデンティティと国籍のずれ

先日、所属しているサークルの例会が終わって、私と四人の日本人学部生で食事に行った。途中、誰かが「山手線ゲームをやろう」と言うと、「でもチンさんがいるから中国の省名をお題にしよう」とMさんが優しく言ってくれた。翌日、別のサークルの稽古で、「チン君！　中国語教えて！」とKさんが可愛らしく声をかけてくれた。帰りの電車で、いつも静かなNさんが、沈黙を破るように「台湾でカラオケによく行く？」と、頑張って私に台湾のことをいろいろと聞いてくれた。家に帰ってLINEをチェックすると、Tさんからメールと添付ファイルが届いていた。このあいだ、学部生のTさんはグループワークのため、留学生の実態をめぐって私にインタビューをした。添付ファイルを開くと、題目は「中国人留学生の生活史」で、内容は日中の教育の比較が中心だと分かった。

理論上、香港特別行政区入境事務処が発行したパスポートによれば、私の国籍は「中国」である。そのパスポートを使って日本に留学した私の在留カードの「国籍・地域」表記欄にも「中国」と記載されている。今日本にいる私が「中国人」だと判断されても間違いとは言えない。だが実際は、私は中国の省名より日本の都道府県名のほうをよく知っている。Kさんに普通話（中国本土の標準語）を教えてあげたいけれど、彼女の名前を完璧に正しく発音できる自信はない。台湾の中華民国政府によれば私は「僑胞」（在外同胞）であり、台湾に行くのは「帰国」になるが、台湾のカラオケに行ったことはないし、そもそも台湾人ではない。日中の比較をしたいTさんに、頑張って調べて中国本土の教育状況を教えることはできるが、私は中国本土における生活の歴史を持たない。

共同体への帰属意識を示すアイデンティティは、生活経験と記憶に基づくものであり、共同の領域である政治、司法、経済、社会、文化、教育などの実体とその制度は、生活経験と記憶の土台である。香港にはそれらの実体と制度があり、さらにIDカード（「出国」する機能はないが、「国民」の権利と義務を所有者に付与する）、パスポート、オリンピックチーム、大衆文化、公用語がある。「香港人」とは、それらの客観的な実体と制度に基づく記憶、感情と経験によって、情理を兼ね備えたアイデンティティである。たとえ私がBNO（英国国民〔海外〕の旅券）を使って日本に留学し、在留カードの「国籍・地域」表記欄に「英国」と記載されていたとしても、私は自己紹介する時に自分のことを「イギリス人です」とは絶対言わない。私は香港人で、イギリスには何の生活経験も記憶（旅行をのぞく）もないからだ。

✝主体性を代表するアイデンティティと「緩いアイデンティティ」

和歌山の日本語学校に通っていた時、二人の中国大陸出身の友達ができて、三人でよく食事に行った。その中のLさんは主婦であり、ご主人も中国人である。彼女は車を持っていて、私ともう一人の友達であるOさんはよく乗せてもらったし、たまにLさんの家に遊びに行くと、毎回ご飯を作ってくれた。大学院の一次試験や面接に合格した時、心の底から喜んでくれた彼女の笑顔は今でも覚えている。先日、関西での調査のついでに、彼女と生まれたばかりの赤ちゃんに会いに行った。Lさんは赤ちゃんを抱っこしながらこう話した。

「見て、このテディベアはおじさんのプレゼントだよ！　このおじさんは……香港からの人だよ！」

彼女の迷いに気づいた瞬間、私はなんとなく悲しくなってしまった。「中国人」と言ってもいいよ、と彼女に言いたかった。彼女は優しい。知り合ってからずっと私を「香港人」として扱ってくれている。生まれたばかりの自分の赤ちゃんに話す時にも気をつけてくれた。それなのに、なぜ私は悲しく感じたのだろう？

私は香港で生まれ育ったが、両親は広東で生まれた。中国文学が好きで、二〇〇四年に劉翔（中国の選手で、アテネオリンピック男子一一〇メートルハードル金メダリスト）の勝利を喜んで、二〇〇八年には彼の怪我で落ち込んだ。日本に来てからいろいろな料理を試したが、一番口に合うのはやはり中華料理だ。Lさんと〇さんと一緒にご飯を食べる時、味付けの好みは違うが、おかずをシェアするのは言うまでもなく自然な合意であった。

中国大陸と共有する一部の伝統文化、習俗、古典文学や歴史などの領域から見ると、私は「中国人」だと言える。これは特定の場合に時々出てくる「緩いアイデンティティ」である。日本人、韓国人、中国人、台湾人、香港人、ベトナム人なども同様に、漢字に基づいた単語を使ったり、おはしを使ったり、礼儀を重視したりする。そのような「アジア人」「東アジア共同体」「漢字文化圏」などの「緩いアイデンティティ」は、欧米に留学するなど、場合によってたまに出てくることもあるだろう。香港人の「中国人アイデンティティ」も、まさにそういうものだ。旧暦新年のお年玉についてや李白、杜甫、白居易、『三国志演義』などの話をする時、もしくは私のように中国本土の親戚に会ったり、日本で知り合った中国人の親友の可愛い赤ちゃんに会ったりすると、その「緩い中国人アイデンティティ」が顔を出す。ただ、中国本土の制度、記憶、感情に基づく中国人アイデンティティと混同しないように、この「緩い中国人アイデンティティ」を持つ人を、「中国人」とは言わず、「華人」「唐人」「漢人」「中国系」と言い分ける時もある（血統や人種から考えるとまた別の区別方法がある）。

二〇〇〇年代まで、多くの香港人は「緩い中国人アイデンティティ」と中国本土出身の人々の中国人アイデンティティを区別していなかった。海外にいる時に、「私は香港から来ました」と言いながら、お正月や清明《せいめい》や重陽《ちょうよう》などの伝統的祝日の時には「我々中国人……」と切り出す。両者の混在は特に問題にはなっていなかったのである。

しかし、政権による同化政策（人口の流入、境界の曖昧化、資金と言語の中国化、立法と司法への介入、愛国教育など）が共同体の制度の中に侵入すると、その結果現れた最も鮮明な反応は実体と制度に基づくアイデンティティ――「香港人」への帰属と、「中国人」と言われることへの抵抗であった。「私は香港人であり、中国人ではない」と、多くの香港人がはっきりと言わざるを得なくなったのである。同時に、「緩い中国人アイデンティティ」

と中国本土出身の人々の中国人アイデンティティという二つの概念が区別できない大陸の民衆や一部の香港人は、その反発の声を聞くと怒りがわき、「香港は中国の領土だから、お前らは中国人だ」「君らの祖先は中国人だから、君らも中国人だ」などと愚かな罵言を吐いたのである。

対立が深まり、結局、実体と制度を反映して主体性を代表する「香港人」アイデンティティと偶発的な「緩いアイデンティティ」の間にあった曖昧な共存は、権力と無知により滅ぼされてしまった。その結果、華人同士の間で共有されていた感情が分裂するのみならず、同化や浸透に抵抗するため、中華文化から離脱する道を選ぶ香港人も出てきた。また香港で伝統中華文化の継承を志向する若者が減りかねない事態となり、現政権の下で、文化復興の光も見えなくなってしまったのである。ただ、もし香港という多元的で曖昧な主体が生き続けられるならば、伝統中華文化はその狭間で存続できるだろう。

†香港住民の来歴

かつて日本は、台湾、朝鮮半島、満州などで植民地支配をしたことがあり、また戦後の残留孤児、さらに現在の国内の外国人労働者や海外で生まれ育った日系の人々を含めて、「日本人」を定義するのは簡単ではない。

一方で、「日本国民」という言葉は、少なくとも法律によって定義されている。フィリピンやブラジルで生まれ育った人でも構わず、国籍法の規定に合致しており、しかるべき手続きを済ませていれば「日本国民」と認められるのだ。

香港も同様で、「香港人」をめぐる議論は多いけれど、「香港住民」の方は少なくとも「基本法」によって明確に定められている（なお「日本国民」や「香港住民」の法的な定義に不満があるか否かにはここでは触れない）。

それでは、次のような場面を想像してみよう。ある現代日本社会に夢中になっている留学生が、日本国民の皆さんに質問をした。

「あなたは、自分が日本国民だと、どのようにして証明しますか？」

あなたはその変わった留学生のバカバカしい質問につきあいたくないから、さっさと「運転免許証や学生証を見せれば良い」と答えようと思ったが、はたとそれがダメだと気づいた。日本人らしい名前や、住所などの情報が載っていても、日本国民かどうかは証明できないのである。パスポートがあればすぐわかるが、持ち歩いている人なんてほとんどいないし、そもそも海外旅行に行かない人は持っていない。またマイナンバーカードをチェックしてみても、なかなか「日本国民」だとはっきりわかるような情報は出てこない。

「あなたは本当に日本国民なのでしょうか」と、その留学生は半ば冗談っぽく話した。

「日本国民に決まっているし、わざわざ証明する必要もない」と皆さんは言い返したいかもしれないが、どう証明していくか、まだ思いついていない方もいるだろう。

その答えは戸籍である。たとえばパスポートを作る時、自分は日本国民だと証明する必要があるが、その証明書は結局、戸籍謄本・戸籍抄本なのである。

それでは、香港住民はどのようにして「自分は香港住民だ」と証明するのだろうか。答えは日本よりも随分と簡単な方法だ。香港の永住権を持っている人は「香港永久性居民身分証」を必ず持っており、永住権がない住民も「香港居民身分証」を持っている。どちらの身分証明書も「IDカード」という。警察官に職務質問をされた時とか、何かを申し込む時とか、とにかく身分を証明したいならば、免許証でも学生証でもなく、このIDカードを提示する。財布にIDカードが入っていない大人は、香港にはほぼいないのではないだろうか。

実はIDカードの歴史をさかのぼると、日本にたどりつく。日本の占領により初めて、香港の身分証明書の制度が始まったのである（鄭・黄、二〇一八）。その意図はもちろん政権による住民のコントロールであって、決して美しい話ではない。ただ身分証明書の制度は、確かに「香港住民」形成の歴史に影響を与えたのである。一九四九年に中華人民共和国が成立し、中国共産党が政権を握った。そして共産党の浸透を防ぐために香港植民地政府は、全香港の系統的人口登録を開始し、IDカードの携帯も徐々に普及していったのだ。現在の香港では、IDカードを携帯する義務があり、職務質問をされた場合、IDカードにより犯罪記録や合法・不法滞在に関する情報が提供されるのである。

†事実上の二重「国籍」

日本の国籍を持つ日本国民には、日本の永住権や参政権があり、税金を払う一方で、国民健康保険に加入したり、義務教育を受けたりすることができる。また海外で何かあった場合、日本大使館・領事館に保護や援助を求めることができる。つまり、一般的な主権国家の国民は、国内のシチズンシップ（市民権）を持ち、海外にいる時は、自国に保護される権利があるのである。

香港もほとんど変わらない。香港の「永久住民」であれば、永住権、参政権、納税、公立病院からの優待、義務教育など複数の権利・義務を有する（外国人や中国本土出身の住民で香港に来てまだ七年間連続定住していない「非永久住民」の場合は義務教育や社会保障や公立病院からの優待を受ける権利を有するが、選挙権はなく、公務員になることや、香港政府が発行するパスポートを申請することもできない）。これらの権利と義務は、日本のような一般的な主権国家のシチズンシップと変わらないのである。ただし海外で事故や災害に遭った場合は、海外に駐在する香港経済貿易代表部（普段は香港と各国との経済と文化の交流を促進する役割を果たす）の協力を得ると同時に、自分のパスポートによって、中国（香港政府が発行するパスポートは中国本土のものとは違うが、国籍欄で同じく「中国」と記入されている）、英、加、豪、米などの大使館・領事館の保護や援助をもらう必要がある。

第1章では香港が「準都市国家」であることを強調したが、「準」という言葉の意味を体現できるひとつの状況は「香港住民」にある。一見して香港の「永久住民」が持つ権利と義務はまるで主権国家の国民のようである。しかしながら海外に「香港大使館」「香港領事館」は存在しない。経済貿易代表部の協力をもらえるが、代表部は大使館・領事館に相当する権限がなく、助けをもとめるときは、自分のパスポートによって、主権国家の大使館・領事館の協力を得ないといけない。

これは、まさに香港住民の本質を表している。つまり香港住民は、国際的な性格を持っているのである。香港の「永久住民」のシチズンシップはまるで、「国民」のような義務と権利を持っている。しかし同時にもしその人が外国の国籍を持つならば、香港にいる時は香港住民とされるが、海外に行くと、所有の国籍の国民になる。つまり場合によって二ヶ所のシチズンシップを有するのは可能である。

日本国民だったら、普通に戸籍があり、日本政府が提供する国内外の「サービス」を全部受けることができる。しかし香港の場合は、そう単純ではないのである。私を例とするならば、香港の「永久住民」であるので、香港のIDカードを持つ。日本に来ると、香港政府が発行する、中国国籍の香港パスポート、あるいは英国国民(海外)のパスポート(BNO)、両方とも持っているので好きな方を使う。しかし私は中国本土の国民ではなく、イギリス本土の国民でもないので、中国本土・英国本土でのシチズンシップは持っていない。私の中国や英国の国籍は、つまりその二冊のパスポートとイコールの存在であり、ただ海外進出用のものなのである。「国民」同様のシチズンシップを私に与えているのは、香港の「永久住民」という身分である。

そう考えれば、香港の「永久住民」であると同時に、加、豪、米、アジア諸国の国民である人々は、二ヶ所のシチズンシップを持ち、事実上の二重「国籍」者と言えるのではないだろうか。制度の話をすると、香港の「永久住民」の華人は中国政府と香港政府にとっては「中国籍」であるが、実際に香港のIDカードしか持たず、「中国」籍と記入されている香港のパスポートを作らない限り、外国政府にとっては二重国籍にはならない。だから二ヶ所のシチズンシップを持つことは可能なのである。

以上のような特徴を持つ香港住民は、香港外への進出が活発であり、香港の「国際都市」としての「国柄」が充実する一方で、外国籍を持つ中流や上流階級がなかなか香港を顧みず、「離地」（根を地元に下ろさず、本土寄りの考えをしない）だと批判される現象も起きている。仮に一億二〇〇〇万の人口を有する日本に置きかえてみると、日本の国籍・シチズンシップを持ちながら米、加、豪、英などの国籍・シチズンシップを有する中・上流階級が一〇〇〇万人にのぼり、彼らは、何かあっても簡単に移民できる。そのような人々が日本国内の政策、世論、選挙などに大きな影響を与えると考えれば、恐ろしいと思わざるを得ないのではないだろうか。香港はまさにそういう状況になっている。

2　私と「中国」

†同化政策以前の「中国認識」

香港の小学校の「常識科」（社会と科学を統合する科目）で何を学んだかはもう思い出せないが、香港と中国の関係についての話は絶対にあったと思う。中学校三年間で中国の歴史は必修科目だった（香港では中学校・高校はつながって一つのものだが、ここでは便宜上「中学」「高校」と表記する）。面白いことに、中国の歴史といっても、古代史から清末までくらいがメインだったので、中国国民党と一九四九年以降の中国はほとんど印象に残っていない。高校時代から自分が好きな科目を選べたので、その中のひとつを「歴史」（世界史）にした。世界史という科目では中国の近現代史も学べるが、中学校と同様に中華民国時代以降、特に一九四九年以降の歴史はなかなか教えてくれなかった。

世界史の先生によると、以上の現象は植民地時代からの習慣である。国民党や中国共産党についての話は論争性が高くて政治問題に関わっているし、植民地政府もあまり中国現代史について詳しく知ってほしくなかったようだ。政治に関心がなく、イギリスとの取り決めに従いながら働いて経済を回すだけというのが、当時の政権には一番有利な形だったのだろう。

また「中国語文」という科目（中文科）も必修科目である。日本の「国語」に相当するが、香港の「中国語文」科目には中国本土や台湾と違う、自らのカリキュラムがあり、広東語で教えて学ぶのがメインである。私が「中国語文」で認識した「中国」は、道徳を重視して豊かな文化と偉大な文学があるところであった。高校三、四年生（二〇一二年まで香港で大学に進学するならば高校四年まで勉強するのは一般的であった）の時期には、さらに「中国語文及文化」という科目があった。私たちはそれを「中化」と呼んでいた。

儒家が唱える仁、義、忠、孝などの価値観がどれくらい現代社会に適用できるのか、適用できるならばいかに応用すべきかを考えるのが「中化」の目的である。カリキュラムの中で示される必読・推奨の文章には、唐君毅、牟宗三、殷海光、劉君燦、金庸、余光中など、香港や台湾で活躍した学者や作家のものが多くある。彼らは必ずしも「反中国共産党」とは言えないが、人生をかけて「中国」の伝統文化を守り続けた人たちである。高校三、四年生の私は彼らの文章から「中国」を認識していた。

中国史や世界史、もしくは「中国語文」や「中化」で学んだような「中国」が、現在いったいどこに存在するのか、私にはわからない。しかしながら、そのような「中国」は私の日常の一部になった。毎日ニュースで流れていた中華人民共和国に関する毒食品、手抜き工事、臓器売買や環境問題が、私が認識する「中国」とどう矛盾するかについてはあまり考えたことがなかった。オリンピックを見る時にも、普通に中華人民共和国のチームを応援していた。

†海外旅行のような中国本土訪問

二〇一二年、大学入学前の夏休みに、学友社という組織が開催する中高生向けのプログラムに参加したことがある。私は大学受験を二度も経験したから、二〇一二年の参加は二回目であり、運営側のスタッフとして参加した。つまり日本の部活やサークルで、上級生が後輩のために活動をサポートするような感じである。そのプログラムは二ヶ月間にわたり毎週一回程度の活動を行っていた。その中には「個人」「社会」「国家」という三つをテーマとする活動があり、個人のリーダーシップを鍛えたり、香港社会のいろいろなことを考えたり体験したりするのだが、最後に中国への理解を深めるために訪問団で一週間ほど中国本土に滞在した。中華人民共和国を理解することは重要な教養だと思われていたし、中華人民共和国が香港人の「国家」だという考えに対しても、地方出身の私のほか、九龍や香港島の名門高校出身の子たちも、当時特に抵抗感を持っていなかった。

過去の学友社は中国共産党に関連する組織であり、かつては「国家」をテーマとする活動や「国家を認識しよう」というプログラムについて「洗脳」なのではないかと疑う参加者もいたが、私が参加した当時そのプログラムを運営してアイディアを出していた人たちは、私を含めて何の力も持っていない学生で、中国共産党に対する厳しい批判も自由にできた。

準備委員会の会議では、活動をめぐって具体的なところまで皆で打ち合わせをする。何のゲームをするかとか、どんな物資が必要かとか。しかし、本当に私が好きだったのは、もっと基本的な「打ち合わせ」であった。たとえば誰かが「今年は中国の○○をテーマにしよう」と提案したら、私がまず「『中国』って何？」と質問をする、というような。そのときの私は結構厄介な人だったと思う。

とりあえず、そのプログラムは洗脳ではなかったが、私たちにとって中華人民共和国を自分の「国家」として理解するのは当たり前のことだった。また「自分の「国家」」というのと少し矛盾しているようにも思えるが、多くの学生がこのプログラムに参加する理由は、この中国本土への訪問団があるからであった。

当時の私にとっても、北京、上海、西安などに行くのは、海外旅行と同じくらい楽しいことだった。自分の「国家」なのに、国内旅行の感じはせず、完全に知らない世界を訪ねる海外旅行のようであった。飛行機に乗ったり、出入国の手続きをしたり、普段全然使わない普通話を生で聞いたり、話したりする。バスや地下鉄に乗ったら怖くて、見にくい簡体字の路線図を何回もチェックする。タクシーに乗っても、遠回りされてどこかに誘拐される怖い想像をしてしまう。無秩序とも言える状態の道路を無事に渡ることや、「斬新な」デザインのトイレに行くことや、味が濃すぎるご飯を食べる。これらのこと全てが「異文化体験」のチャレンジであった。ホテルのテレビをつけても知らない放送局、番組、芸能人、CMばかりである。もちろん優しくもてなしてくれる中国本土の若者の友達を作るのも「異文化交流」のようだった。

†二枚の写真からの疑問

学友社ではこのようなこともあった。「国家」をテーマとする活動を準備するためにOBの方がミニ講演会をしてくれた。プロジェクターによりスクリーンに映されたのは、中国大陸出身者と見られる人が香港のどこかのベンチで横になっている写真だった。

その講演者が「皆さんはこの写真をどう思いますか?」と聞いたところ、「ちょっと醜い」とか、「一人でベンチを占めて他の人が使えなくなる」とか、「最近の中港矛盾（中国本土と香港との「交流」が頻繁になるにつれ、様々なトラブルが起きること）を思い出した」などの意見があった。

それらに対し講演者は特にコメントせず、次の写真を映した。金髪の西洋人が同様に、香港のどこかのベンチで横になっている写真だった。「どう思いますか?」と講演者が再び聞いた。

皆は講演者の「わな」にかかった気がした。目の前の写真を見ても、マイナスな気持ちがせず、かえって気持ちよさそうに見えたのだ。「正直に言っていいですよ」と講演者が皆に発言を促した。

「快適そう」「パブリックスペースを生かしてストレス発散ができていて、都市の新しい文化も作られそう」などの意見があった。

講演者は今度もコメントをせずに皆の意見をまとめて、「考えてください」と話を終えた。同じことをしていても、中国大陸の人ならば悪く見え、西洋人ならば良く見える。当時の私にもそう見えていたのではないだろうか。本当にそうだったら、差別ではなくて何だろう?

†差別について

実は差別やヘイトスピーチという角度から、香港人と中国本土の人々との関係を考える香港の知識人や議員や一般人はたくさんいた。二〇一〇年代に入り、確かに多くの香港人は中国大陸から来た来訪者を嫌うようになった。中国大陸からの来訪者をターゲットにしたデモで、彼らを「イナゴ」と呼んだり、彼らのスーツケースを蹴ったり、大陸から来た女の子を怖がらせて泣かせたりするニュースが流れたこともある。

「こうした香港人は野蛮であり、悪である」「その主張は、差別やヘイトスピーチそのものである」

そう思う人もいるだろう。人と人との関係から見ると、いま述べたような香港人の言動は野蛮であり、差別やヘイトスピーチであるに違いない。しかし、なぜ一九九一年に華東

（中国東部）の洪水被害や二〇〇八年の四川地震などに対して、どの国の人々よりも熱心に寄付して応援した香港人が、現在そんなふうになってしまったのだろうか。その原因である中国大陸からの圧迫について考えておく必要はないだろうか。

さて、先ほどの香港人の言動が差別やヘイトスピーチだと捉えられることに対して、私は半ば嬉しく、半ば悲しく思う。

嬉しいのは、そう思う人がある程度、香港の主体性を認めたという点である。まず、区別ができなければ差別もできない。身分、階級、職業、人種、国籍、地域、性別、宗教、障害、性的指向など多くの種類の差別が存在するが、このうち香港人が中国大陸の人々を「差別」するのは「地域」によるものだろう。言い換えれば、特別行政区の市民が一党独裁の世界第二の経済大国である主権国家の国民に差別をするということになるのだ。「差別」という概念を使うということは、人々が無意識に香港を「中国に抵抗できる力がある主権国家」だと思い込んでいるということでもある。「香港社会は優しく中国大陸からの移民を受け入れて、社会福祉を十分提供すべきだ」とか、「来訪者の数が多すぎるけど、ちょっと我慢して相手の文化を理解してください」というような意見が少なくなかった。そのような考えは、香港が国家のように、独立した制度と中国大陸と区別できる文化を持っていることを前提とし、教育、福祉、医療、就職の支援などを提供した上で、中国大陸からの移民を香港社会に溶け込ませる、もしくは香港がある程度自分の文化を変えて移民や観光客の異文化に寛容な態度をとるべきであるというものであった。

そのような考えは、植民地時代の香港には通用したが、二〇〇〇年代頃の香港では通用しなくなり、近年は中国共産党政府による同化政策の加速によりさらに時代錯誤のものとなってしまった。

私が「香港人が中国大陸からの来訪者に対して行っているのはヘイトスピーチだ」という意見を聞いて「悲しい」と思うのは、ここに理由がある。多くの人は、香港と中国大陸との力の差を無視している。

豊かな香港人は、労働者階級の中国本土からの新移民を差別できる。香港のタクシー運転手も、広東語を話せない中国本土からの社長にヘイトスピーチを浴びせることができる。それは確かだ。しかし問題は、香港と中国との全体的な関係を無視して、差別やヘイトスピーチなどの概念でしか考えないことだ。そうすると、香港側の受けている圧迫と市民の怒りと苦しさを見逃す恐れがある。悲しいことに、もしその無視と見逃しが続くなら、反発する香港市民と事情がわからない中国市民や新移民との亀裂は拡大してしまうだろう。

一九九七年以前、イギリスはすでに「太陽の沈まない国」ではなかったが、香港の主権を保持していたので、中国共産党は香港に関する動きをまだ控えていた。一九九二年にアメリカ合衆国議会で可決した「米国・香港政策法」によって香港の特別な地位はまだ保障されているが、実際にアメリカを含む国際社会に注目されているのは、主に資本家の利益に一番関わる司法制度や金融経済だけである。香港の民主化、自由の保障、文化、言語、教育、人口・移民政策の自主性などの領域はすでに、「団結できない香港市民社会対中国共産党政権」という構図の局面になってしまったのである。

仮に香港の七〇〇万市民の香港の主体性を守る意識が高くてデモやストライキを行ったり、議会など体制内で抗争をしたり、政権寄りの財閥やメディアをボイコットしたりするならば、甲子園優勝校(香港市民)対メジャーリーグチーム(中国)という「栄光ある敗北」の対戦になるかもしれない。しかし現実の香港市民社会は、全員が初心者の草野球チームのようなものである。国家勢力と財力を擁するプロを相手にしたら、惨敗しかないのではないだろうか。

†香港人はもう我慢の限界

中国大陸の人々がベンチで横になっている写真を見て嫌な感じがする。昔からよく行く商店街やショッピングモールが中国大陸の人たちで溢れ、彼らのために薬局や宝石店がたくさんできて、昔のお店がなくなる。現実から逃げて一日だけでもファンタジーを味わいたいとディズニーランドに行ったのに、中国大陸からの観光客に列に割り込まれて、怒りたくても我慢する。薬局の看板猫が子供を引っ掻いた、と中国大陸からの来訪客が薬局を訴え、香港政府が猫を「逮捕」する。これらのことすべてが、もう嫌になった。

家に帰ってニュースを見れば、中国共産党を称賛して天安門事件を教えない「国民教育」の導入、広東語の代わりに普通話で中国語文を学習する政策、中国大陸と「融合」するための高額なのに必要性の低いインフラの建設、または出産するために越境してくる中国大陸の妊婦が多すぎて病院の予約が取れないと心配する地元の妊婦の顔、あるいは子供を産んでも中国大陸からの密輸者に粉ミルクを買い占められて買えなかったり子供を地区の幼稚園に入園させるためにいろいろな準備をしなければならない多くのママのストレス……これらのことに、多くの香港人はもう我慢できなくなった。

中国人観光客のスーツケースを蹴りたくなってしまった。「出て行け」と言いたくなってしまった。でも、できない。できるのは、香港の道を聞かれてももう普通話では対応せず、広東語や英語で答えること。香港の図書館で中国からの留学生同士が大きな声でしゃべり始めたら、一秒も我慢せずに「黙れ」と返してやること。列に割り込まれたら、すぐに怒る顔を見せて抗議することぐらいである。

薬局から家に連れて帰られ「逮捕」を待つあの看板猫は、すぐに食欲がなくなり、体重も落ちてしまった。デモをしてでも絶対に猫を守ると店の常連さんが言った。

前章で述べたように、現在の香港は中国大陸からの移民への審査権を持っていない。だから移民が中国当局の許可を得たら、香港の入国管理局は特に邪魔立てをしない。

移民は香港に来て、すでに香港で家庭を作ったり子供を産んだりしているかもしれないし、勤勉に働いている人も大勢いるだろう。彼らはもう香港の一員であるから、香港の広東語と伝統的漢字や社会文化、および自由、法の支配などの価値観を勉強して、理解してほしい。正しい情報を得て、しっかり考えた上で投票権を使ってほしい。同時に社会福祉や教育や医療などの「国民的」権利を彼らに平等に与えてあげてほしい。移民は、ある程度中国政権の同化政策のひとつの道具になっていた。しかし彼らはすでに香港の一員になっているのだ。

ただ、中国大陸から来て観光客を装い香港で違法なことをする人々、もしくは香港のルール、社会規範、価値観、文化を尊重しない人々には、もう容赦しない。暴力はダメだが、自分の反感と怒りを素直に表現する。礼儀正しい観光客に対しても、申し訳ないが、私は偽の笑顔を作れない。香港で普通話も話したくない。同時に、政権の悪い政策に反対する。経済政策が中国大陸からの観光客相手のものに偏ってしまうのは、同化政策であるかどうかを別にしても、高校生でも知っている経済学の原理に反するバカな行動であり、反対すべきことなのだ。

3　香港の広東語・中文

†公用語

日本に来て自己紹介をするたびに一番悩むのが母語の話だ。香港人の九〇パーセント以上は華人であり、その母語は広東語である。日本人の知り合いは、中国と香港の関係を考えた上で、「じゃあ広東語は関西弁のようなもの？」と聞いてきた。昔の日本語学校のベトナム人の友達も、「チンさんの母語は香港弁」とたびたび言っていた。しかし私の戸惑う顔を見て、また私の長い「香港論」（「香港はこうだ」「香港人はこうだ」のような呟き）をたまに聞いて、いつのまにか「チンさんの香港語」と彼らは言い直した。

香港の広東語を「香港語」と呼ぶのは、台湾の閩南語を「台湾語」と呼ぶことと同様に、地域の主体性を明らかにできるので、私はいいと思う。しかしこの問題は、論証するならば一本の論文や一冊の本にもなるものなので、ここでは普通に「香港の広東語」（以下、広東語）と呼ぶことにする。

第1章で言及したが、香港にとって広東語は方言ではない。確実に言えば、方言のような未標準化のところもあるが、実際の応用によって威信と規範を得ており、公用語と定義すべき言語である。未標準化とは、たとえば政府が作るまたは直接に指定する広東語の辞書がないとか、広東語の個別の字の発音が公的・統一的に規範化されていないとか、広東語を文章として書く際、文法と字の公的・統一的な規範がない、ということである。

†事実上の標準化

しかし、広東語は事実上の標準化を達成している。香港では、政府、立法機関、司法機関、大学、マスメディア、庶民生活で話される公用語である「中国語」は広東語である。書く際に広東語の独特な語彙や助詞や終助詞を除いたら、話し言葉としての広東語と書き言葉としての「中文」はほぼ一致する。以下の行政長官・梁振英（在任二〇一二～一七年）の旧暦新年の賀辞から見ていこう。太字は話し言葉と書き言葉が一致しない部分である。

［広東語の文体・話し言葉］（放送用。太字の広東語部分は映像の音声をもとに引用者作成。なお以下、原文の「，」「；」をタテ書きにするにあたり「、」「。」に変更した）

中国人特別重視農曆新年。香港**係**国際大都会、無論本地市民、**亦或**外地**嚟嘅**朋友、大家都好享受喺香港過年嘅節日気分。要保存香港中西薈萃嘅特色、我哋除咗要重視中国伝統節日、亦要努力伝承中国文化同芸術。今年係猴年、我同太太祝小朋友好似馬騮仔咁精霊。大朋友、「老友記」、不論年齢、不論国籍、都希望大家喺新嘅一年、心想事成、万事如意、身体健康！　恭喜発財、新年進歩！

［書き言葉］（字幕・公文書用。太字は話し言葉から書き言葉に変換した部分）

中国人特別重視農暦新年。香港是国際大都会、無論本地市民、還是外地来的朋友、大家都很享受在香港過年的節日気分。要保存香港中西薈萃的特色、我們除了要重視中国伝統節日、亦要努力伝承中国文化和芸術。今年是猴年、我和太太祝小朋友好像小猴子般精霊。大朋友、「老友記」、不論年齢、不論国籍、都希望大家在新的一年、心想事成、万事如意、身体健康！　恭喜発財、新年進歩！

［日本語訳］（引用者訳）

中国人は特に旧暦の新年を大事にします。香港は国際的な大都会であり、地元の市民と外国から来る友人とを問わず、皆で香港で新年を迎える祝日の雰囲気を楽しんでいます。中華と西洋が併存する香港の特色を守るため、私達は中国の伝統的祝日を大切にしたうえで、中国文化と芸術を頑張って継承すべきだと考えます。今年は申年《さるどし》であり、私と妻は子供達がサルのように元気であるように祈ります。大人もお年寄りも、年齢や国籍にかかわらず、皆さんが、新しい年に願いが叶うように、何事も希望通りにいくように、健康であることを祈っています！　金運に恵まれることを祈って、新年おめでとうございます！

太字の部分は、話し言葉と書き言葉が異なる箇所であるが、実はそれほど多くない。たとえば、日本語の「〜は…です」という文型は、広東語の話し言葉では「〜係…」(hai6、以下このような表記は発音と声調を表す)、現在の書き言葉としての中文では一般的に「〜是…」(si6) になる。日本語の「〜の…」という助詞は、話し言葉では「嘅」(ge3)、書き言葉では「的」(dik1) になる。また、特定の用語、たとえば「サル」という動物の話し言葉は「馬騮仔」であるが、書く時はだいたい「小猴子」とされる。これらの例では、語彙は異なるが、文法的語順は変わっていない。

この例文は、香港の公共放送で一般市民に伝えられる新年の挨拶である。言葉の選択は分かりやすく、文学的な修辞も庶民らしい語彙も使用されていない。ニュース番組、教育現場、立法機関の会議、政府の責任者の発言、地下鉄のアナウンスまで、口語としての広東語は実際のところ書き言葉としての中文と重なる部分が非常に多い。

次に、地下鉄のアナウンスの例を挙げよう。香港の地下鉄荃灣《チュンワン》線に乗って、太子《プリンスエドワード》駅に着く直前に広東語のアナウンスが流れる。「下一站太子，乘客可以転乘観塘線，往調景嶺沿途各站。左辺嘅車門将会打開」。意味は「次は太子、観塘《クントン》線はお乗り換えです。調《テイウ》景嶺《ケンレン》方面の各駅に行くことができます。左側の扉が開きます」。そのアナウンスの中で、「嘅」だけが広東語の特別な語彙であり、他は全て中文と重なる。日本と同じく「ドアが閉まります、ご注意ください」というアナウンスは、香港でも流れる。広東語のアナウンスは「請勿靠近車門」であり、中文と広東語は全て一致している。

普段、中文を朗読する際は、広東語の発音に基づく。さらに、大学統一入試（日本のセンター試験に相当）には、「中国語文」という日本の国語に相当する必須科目があるが、その聴解と会話のテストは広東語で行われる。普通話で受ける選択肢もあるが、一般的な受験生はほぼ広東語にする。話し言葉としての広東語の常用の語彙や助詞は、必ずこの聴解と会話のテストにでてくる。会話のテストにはちょっと難しい漢字を広東語で正しく発音できるかどうかという採点のポイントもあり、これはまるで日本の漢字検定の読み方を問う問題みたいである。

香港の広東語はこのように使用されており、中文と同一視されている。政府ははっきり言わないが、香港の広東語は事実上標準語化されていると認めないといけないだろう。

†広東語の歌

香港の広東語のポップソングの詞の声調は、曲のメロディーにぴったりである。日本語は高低アクセントの言語であり、曲の歌詞を入れ替えたりすることにわりと制限が少ない。名曲の歌詞を変えておかしく歌う替え歌は、日本語ではたくさんある。他にもお笑いコンビANZEN漫才のみやぞんの即興ソングを作る才能は、よくテレビで見ることができる。ギターを弾きながらその場ですぐ歌詞を考えて歌を歌うみやぞんはもちろんすごいが、実は日本語の特徴がその芸を支えているのである。

しかし、広東語はドレミファソラシに合わせられる声調が六つある。そして、声調が違えば、意味も変わる。歌詞を書く際、言葉の声調をメロディーに合わせないと、歌は変な意味になってしまう。以下の香港の童謡の例を見てみよう。

「我是個茶壺肥又矮呀」（ド　ドレ　ミ　ミ　レドレミド　ソ）という童謡の意味は「私は水次《みずつぎ》（茶道で使う水を注ぐ道具）であり、太くて背が低い」である。

しかしこの童謡の歌詞の声調は実はメロディーに合っていない。

そのまま聞くと、「餓是個叉烏飛又蟻呀」になってしまう。意味は「お腹が空くのはフォークカラスであり、飛んでアリ」である。意味不明であろう。香港人はそれを「トーンが合わない」と言う。童謡の他に、昔作られた教会の賛美歌でもその現象がある。

しかし大部分の香港の歌の歌詞の声調は曲のメロディーに合致している。一般的なポップソングはもちろん、伝統芸能の粤劇《えつげき》（広東オペラ）の歌から、多くの童謡もそうである。香港のディズニーランドに行くと、広東語版の『小さな世界』（『世界真細小』）を聞くことができるが、その歌詞もメロディーにぴったりと合致している。

中国大陸と台湾の「中国語」には四つの声調があるが、六つの声調がある広東語のように曲のメロディーにすべて合致するには声調が足りない。ゆえに彼らは「トーンが合わない」現象を自然に受け入れている。ただ、曲に歌詞を入れるのは広東語よりもっと自由にできるはずだ。逆に言うと、広東語で作詞する技はより洗練され、作詞家も稀有な才能を持っており、中華世界の宝と言っても過言ではない。

その無形文化遺産を支えるのは作詞家の文才だけではない。香港という広東語を公用語とする「準都市国家」がなければ、広東語の歌を鑑賞できる人がいなくなり、広東語の歌と作詞の技もすでにこの世から消えていただろう。

仮にディズニーのアトラクション「イッツ・ア・スモールワールド」に入ったとして、フランス語、イタリア語、スペイン語、英語などのバージョンの『小さな世界』が聞こえずに、一〇分間ずっと日本語版しか流れないならば、その何が面白いのだろう？「世界はせまい、世界はおなじ」だけど、豊かな言語文化がなければ、「世界はこわい、ただひとつ」になるだろう。

†中文の教育と習得

大学の特別講義や特殊的・個別的指導を除けば、中国大陸は普通話という彼らの標準語で中文の教育と習得をするのが原則である。しかも彼らは漢字の発音（普通話）を表記する拼音《ピンイン》を使う。日本語だと、よく難しい漢字の横にルビをふるが、中国大陸の子供向けの中文教科書にも、たまにそういう風に拼音を漢字に併記するものがある。

香港はどうだろう。第1章で言及したが、香港人は主に広東語で中文を学ぶが、広東語の拼音をまったく勉強したことがない。これはつまり、ふりがながない状態で漢字の発音を覚えるということである。

それでは私が、子供の頃からどのように漢字の発音（広東語）を覚えてきたのかというと、それは、先生の朗読を聞いて、クラスメイトと一緒に大きい声で読み上げるだけの、とてもシンプルな方法であった。

現在の中文の教育方法は、教える内容や現代の教育方法の進化によって変化しており、古代と変わらないというのは不可能である。しかし、拼音や注音（中華民国〔台湾〕の方法）という近現代言語学の発明品を使わずに朗読で教えて学ぶのは、やはり漢字文化の無形文化財だと私は考えている。

朝鮮半島やベトナムではすでに漢字の形をやめてハングルやアルファベットを使っている。日本も独自な言語文化に進んでいる。朗読して暗記するという漢字・漢文の教育と習得は、おそらく香港とマカオぐらいにしか残っていないだろう。マカオの人口は約六〇万であり、中共政権による同化に抵抗できるほど市民社会は強くない。この伝統的な方法を広く使い続けて、しばらく「普教中」（普通話で中国語文を教える政策）に抵抗できる最後の華人社会は、香港しかないだろう。

香港の自主性と主体性がなくなったら、多くの独特な文化も消えていく。それらの文化は香港人のものだけではなく、華人全体、漢字文化圏の人々のものである。なぜそのように貴重なものを消さないといけないのだろう？

†広東語の「全国制覇」

ここまで紹介してきたように香港の広東語には、公用語、事実上の標準化／未標準化など複数の側面がある。実は、香港の特殊性によって、広東語はまだ他の性格も持っている。香港の広東語は、ここまで述べてきたように、詞と曲の融和および伝統的中文の教育・学習方法などの無形文化遺産を支えると同時に、庶民生活から政治、学術まで幅広く使用されている。そのように香港の広東語は、上海語、閩南語、客家語などを含める広い意味での「中国語」の中で、しっかりと残っている数少ない言語である。

一九六〇、七〇年代、香港の人口は三〇〇万から四〇〇万にまで増えていた。多くの住民は広東語を話すが、他に客家語、閩南語、上海語、蜑家話、囲頭話、普通話など、多くの言語が存在していた。イギリス植民地政府は中華人民共和国の浸透と影響力を防ぐために普通話を排除し（例外として、たとえば国民党・共産党に関連する少数の学校で普通話の使用を許した）、比較的に多くの人が話す広東語を香港の「中国語」（中文）として使うようにした。それによりラジオ、テレビ、学校教育で広東語は主導的な地位を占め、市民運動によって中文（読むのにどの言葉を使うかは明言されていないが、前述のように香港では広東語を使うのが暗黙の了解である）は公用語化が目指され、一九七四年に英語と同様の公用語だと認められた。

そもそも広東語は広州という豊かな都市で使われていた言葉であり（だから香港の広東語はたびたび広州語とも言われる）、その都会感は英領香港において、より強まった。そして、さらに政府の方針によってマスメディア、教育機関などで使われる言語となり、客家語、閩南語、上海語、蜑家話、囲頭話、普通話などの言語よりも圧倒的な優位を占めて、威信を得たのである。香港において、今述べた広東語以外の言語は、方言・劣位な言葉と見られ、その価値は認められていなかったのである。

†殺し屋である広東語

私は一九九二年に生まれた。自分の子供時代を振り返ると、広東語は香港社会において、まるで「国語」や「標準語」のような覇者であったということがわかる。小学校三、四年生まで、周りの子は基本的に自分と同じ年齢で、皆も当たり前のように広東語を話していた。五年生になると、同じクラスに自分より年上の転校生が増えてきた。彼らはいわゆる「新移民」であり、およそ中国大陸の広東地方から移民してきた子供たちであった。彼らの広東語には特徴的な訛りがあった。ちゃんと話せるし、母語もおそらく広東語だけど、香港の広東語とはちょっと発音が違うのだ。その中には一緒にバスケをしたり電話でしゃべったりする友達もいたが、そんな少しの訛りを子供であった私は気にしなかった。

クラスメイトには、香港生まれの子も、大陸生まれの子もいた。大陸生まれでも小さい頃に香港に来た子は「新移民」とは呼ばれず、普通の香港人であった。香港生まれの子が多数派だけど、その中で両親とも香港生まれという子はどれくらいいただろうか、見当がつかない。私の父親の母語は広東語であり、九歳の時に一人で香港に来たので、彼の広東語には特に訛りがない。母親は広州出身でもちろん広東語を話すが、香港で長年生活してきたから広州人が使う単語（たとえば冷蔵庫を香港では「雪櫃」と言うが、広州では「氷箱」と言う）を、私は一度も聞いたことがない。

旧暦新年のたびに、クラスメイトは「返大陸」（直訳すると、中国大陸に帰る）をする人が多かった。大陸で生まれ育った「新移民」には、「帰る」と言えるが、香港生まれの子にとっては、「帰る」と言うより、「行く」ほうが正しかった。しかし「返大陸」がすでに常用語になっていたので、別に誰も気にしなかった。彼らの「帰る」先は、広東省の広州、仏山、東莞、恵州、汕頭、江門などが多かった気がする。彼らの親の母語は必ずしも広東語ではなく、客家語や潮州語などを話す人もしばしばいた。そのような親、もしくは祖父母がいるクラスメイトの中に、それらの言語を聞いてわかる人もいたが、話せないほうが多かった。

簡単に言うと、広東語ではない「中国語」は当時の多くの香港の人々にとっては「郷下話」（田舎言葉）であった。若者はそれらの「郷下話」を話せても、そのことを誇れない。そして、多くの上の世代の人たちも自分の子供や孫に教えるつもりはなかった。学校も、もちろん広東語を使っている。香港の広東語はそのようにして「王道」になり、知らないうちに香港の他の言語を殺していったのである。

†広東語とエスニックマイノリティ

広東語の優位性により被害を受けている香港人もいる。それはエスニックマイノリティ（少数派の民族・人種）の人々である。香港で生まれ育った南アジア系の住民は少なくない。彼らは普通の学校に通うか、もしくはエスニックマイノリティ向けの学校で勉強する。

どちらの学校でも「中国語文」（広東語で中文を学ぶ科目）は必修科目である。広東語・中文のネイティブではない彼らにとって「中国語文」という科目は苦労の対象であるだけでなく、進学と就職にも大きく関わってくる。香港の大学に進学したい場合、華人の学生と同じく「中国語文」の試験を受ける必要がある。しかし入学に必要な成績（レベル3）に達するのは、華人の学生を含む全受験生の五〇～五八パーセントしかない。

この「中国語文」の試験には、古文・現代文をめぐる読解、作文（小説・随想文・論説文などから一つを選ぶ）、聴解（学術的議論が中心。たとえば二〇一九年のテーマはユートピア）、会話（中華文化、現代社会、香港社会などの話題を含む）と、高校で完成させる課題への評価、つまり四つのテストと学内課題がある。多くのエスニックマイノリティの学生は香港社会に溶け込むために、広東語・中文を一所懸命勉強するが、うまくいかなければ、進学できないだけではなく、就職先の選択肢も極めて少なくなってしまう。

以上のように、優越感を持ち、他の言葉を追いやったり、エスニックマイノリティに苦労をさせたりする、まるで近現代国民国家の「国語」「標準語」のような香港の広東語は、皮肉なことに、現在、普通話の侵攻に直面している。多くの香港の小学校や名門の幼稚園、小学校、インターナショナル・スクールの中文科はすでに普通話を使うようになってしまった。たまに街で自分が通っていた小学校の生徒たちに出会うことがあるが、彼らは普通話でしゃべっていたりする。そのような子供たちの多くの実家は中国の深圳にあり、毎日国境を越えて香港に通学している。しかし、そのような「跨境学童《こきょうがくどう》」を別にしても、普通話で中文を勉強する地元の生徒も少なくないのである。

†本当の王者——金と英語

日本人は日本で進学すると、英語は指定のレベルに達する必要があるが、英語科目以外は基本的に日本語で学ぶ。動物が好きな人、宇宙に興味がある人、経済や政治に関心を持つ人、みな自分の第一言語で授業を受け、本を読み、頭で考える。

香港の生徒たちも同様に大学に進学するためには英語が必要であるが、第1章で述べた通りまずIELTSの六・〇に相当するレベルを身につけないといけない。おおざっぱに換算すれば、TOEICの七四〇〜八二〇点、英検の準一級くらいである。そして、大学の講義は基本的に英語で行われる。広東語で講義を行う時や中文でレポートや小論文を書く時もあるが、英語こそ大学の「公用語」なのだ。

たまに日本人の友達に冗談を言うが、中文学校（話し言葉は広東語で、書き言葉は中文）出身の私は香港の大学に入学して以降ろくに勉強をしたことがない。なぜなら先生は英語で講義するから話がわからない時も多いし、ディスカッションに参加しても、なかなか自分の考えを伝えられなかったからだ。指定された参考書を読むのにも苦労するし、レポートを書く時も上手に論述できなかった。そして日本の大学院に入って日本語という新たな言語を使うことになったが、相変わらず先生やクラスメイトの話はしばしば聞き取れないし、自分の意見もまだうまく話せない。いつも霧の中で迷い続けている状態である。

香港の大学卒業生は、もし有名な企業や公務員を目指すならば、英語が他のすべての才能よりも大事になる。英語があるレベルに達していないと、その人がリンカーンの生まれ変わりであったとしても、公務員にはなれないだろう。一般企業やNPOでも、英語で書類を作成したり、メールをしたりするから、英語が下手な人には悪夢である。

このような状況から、広東語の別の側面が見えてくる。労働者階級や中流階級の子は香港の小中高校を経て香港の大学に入るまで、広東語・中文がとても重要だったが、大学からはまるでスイッチを切り替えたかのように、勉強、研究、就職、仕事で英語が主役になる。その一方で、多くの中・上流階級の家庭出身の華人や西洋人は、インターナショナル・スクールに通い、英米加豪などの英語圏の大学に進学する。香港という華人社会に対して西洋人の子も一応「エスニックマイノリティ」ではあるが、お金持ちなので広東語・中文を習得しなくても問題ない。彼らには英語があるから、広東語がなくても大丈夫なのである。まさに「英語帝国主義」の延長線上にある現象と言えるだろう。

インターナショナル・スクールの中国系の生徒たちやカナダから帰ってきた帰国子女は広東語を話す時に独特な訛りがある。その訛りは英語ネイティブならではのものだ。しかしその訛りは中国本土の普通話の話者のようにバカにされる対象ではなく、反対に時々香港の地元の若者に真似されるものである。真似をした語り手は微妙に自分の言葉が高級になった感じを覚える。その「虚栄心」を見透かした若者だったら、その真似を「ｏｈ～ワタシノ中文ハマダマダデス」と皮肉を込めて真似するだろう。

香港社会で、「中文（広東語）が下手です」というセリフはエスニックマイノリティにとっては残酷な現実の告解である一方、一般家庭出身の華人には虚栄心やジョークのタネであり、富裕層にはただの気にもならない事実陳述である。

英語帝国主義の延長として、これまで述べたことに似た現象は日本や韓国などのアジア各国にもあるだろう。しかし香港の場合、普通話の浸透を含めて見ると、広東語がまるで香港社会の縮図であることがわかる。広東語は、地元の一般市民や移民、難民、エスニックマイノリティに向かう時に、皆が従わないといけない統治者である。一方、英米に向かう時には、いつも劣等感を持ち、それをなかなか超克できない従者となる。さらに、中国大陸からの同化にさらされており、自分の存在さえ消されそうになっているのだ。

第3章　二〇一九年の香港――運動と分裂

1　死守

†運動の序章

二〇一九年六月一二日、香港出身の私は、東京の自宅のパソコンの前でずっと、中国本土への容疑者引き渡しを認める「逃亡犯条例」改正案に反対するデモをＬＩＶＥ映像で見ていた。数えきれないほどの香港人が「香港！　香港！」と、あるいは「香港人頑張れ！」と、何回も叫んでいた。

髪を刈り上げている男の子、あまり化粧をしていない女の子、二〇〇三年のＳＡＲＳ（重症急性呼吸器症候群）の流行以来よく見る青色や緑色のマスク、セブン－イレブン柄の三色傘……。そうなのだ。皆、まだ変わっていなかった。最近の中高生は、深圳に遊びに行ったり、HEYTEA（喜茶、中国発祥のミルクティー・ブランド）を飲みに行ったり、中国大陸製のドラマやバラエティを見たりする。二〇一四年の雨傘運動の失敗以降、我々の世代と次の世代はもう断絶し、彼らは徐々に中国大陸に寄り添っていく、と周りの人は嘆息をもらしていたが、やはり皆、まだ変わっていない。雨傘の世代に引き続き、より若い世代が香港のために、また街路に出てきたのである。

WhatsApp（LINEのようなSNS）グループで、私の大学時代の友達は、デモ隊の中高生や大学生のことを心配しながら、「彼らは我々より若いけど、まだ諦めていないから、我々も諦めるな」と互いに励ましあった。同時に、「次はどうすればいいか本当に分からない。結局雨傘の時に戻っちゃうかも」「そうならば極端な消極しかないよね」と、雨傘運動の時七九日にわたって政府と対峙したあと、しんどく絶望的な終局を迎えた記憶を、彼らは自然と思い出していた。

雨傘運動の間、「誰かが突き進むならそいつはスパイだ」という話が流行っていた。一方、民主派の政治家の指導に従って突き進むことなく、力に訴えず、数十万人で一緒に歌を歌ったり、自分に拍手したりする人は、「それは何の役にも立たず、ただ道徳的な自己満足で、運動の力を失わせることだ」と批判されもした。しかし今回は「突き進みたい人は突き進む。平和にやりたい人は平和にやる。スパイを告発するようなことはしない」という雰囲気になったようだ。しかも現場からは、政治団体の旗やリーダーのような人の姿が消えた。「午後三時まで（政府が）改正案を撤回しなければ立法会に突入する」とか、「明日地下鉄を麻痺させよう」とか、多くの行動の提案はSNSで拡散していた。それらの提案を誰が、何の団体がしたのかも分からない。今の香港、もう誰かを頼りにすることはできないのだ。命は自分のものだから、自分が判断して行動するしかないのである。

我々はとても「政治化」してしまった。昔、「アフリカって国じゃないの？」とバカバカしい質問をした友人は、今、デモ隊の中に立っている。常識がなかった頃の彼女が懐かしい。ある日本人の大学生が、「今の日本の若者は、政治にあまり興味がない。それについてどう思いますか」と私に尋ねたことがある。ある意味では、それは幸せなのではないか、と私は思う。政府、代議士、知識人などがいろいろとやってくれて、一般人の若者は日常的なことに全身全霊で悩む。試験とか、部活とか、恋愛とか……。

†主体保衛運動

先日、母と姉が東京に旅行で来た。姉が久しぶりの東京で楽しく買い物をしている間、私と母は二人で新宿御苑に行き、ベンチに座っていた。かすかな風が心地よくて、目の前の池を眺めていた母は、「ここはいいなぁ。香港の公園ではベンチさえ探せない。あっちでもこっちでも大媽踊り」と嘆かわしく言った。「大媽」とは中国大陸での「おばさん」の呼び方で、「大媽踊り」とは、大媽の踊る踊りとその集団踊りの社会現象である。二〇ドルのお札を「大媽」の襟や腰のベルトにおひねりよろしくねじ入れると、普通話（中国大陸の標準語）や訛りがある広東語で「ありがとう」と返すそうだ。

そんな美学的にはとても鑑賞に耐えない踊り、ダンス音楽の爆音、くわえて隣のショッピングモールでは大きなスーツケースを運んでいる大勢の中国大陸からの「観光客」たちが、私の地元の昔の風景と私たちの生活を変えた。香港全体もそうだろう。都心である金鐘《アドミラルティ》と半山区あたりの香港公園までは「大媽踊り」が進出していないので、富裕層や西洋人がまだのんびりできていたが、今回の「逃亡犯条例」改正案は、彼らの家の門を叩いてきたのである。

今回の抵抗もむろんすべての香港人による完全な大団結ではないが、雨傘運動の時と比べると、少なくとも階級の分断が目立たなくなった。今回のデモによって、香港人は何か新しいものが欲しいわけではないし、何かを倒したいわけでもない。香港人は香港を守りたいのだ。

香港は国ではないが、「準都市国家」の状態が、何十年も前に知らず知らずのうちに生まれ、一九九七年の主権譲渡をきっかけに「基本法」という小憲法と、国際社会の裏書によって担保された。中華文化の継承、および西洋文明を背景にした制度、自由、人権、法治などの価値観とそれらの実践、それらに基づく経済、金融、貿易、文化は、全て香港という主体の不可欠な構成要素である。

二〇〇三年の「基本法」二三条（による国家安全条例制定）に反対する大規模デモ、二〇一〇年代に入ってから連続した反国民教育運動、雨傘運動、「普教中」（学校で広東語の代わりに普通話で中国語文を学ぶ政策）への反対、「光復行動」（大陸からの来訪者による転売を目的とする「爆買い」に対するデモ）などに至って、それぞれ違う背景と目標があったが、一言で言えば、それらは連続した「主体保衛運動」であった。今回の抵抗もそうであるが、これまでと違うのは、関わっている階級と利益集団がより広範になってきたことである。

「主体保衛運動」とは、野球に喩えれば、守備側ばかりやる試合のようだ。守るためには、球を投げつづけることしかできない。多くの人にはバッターボックスがよく目に入らず、香港人がただ何回も硬いボールを投げているのが目に入るだけだ。それが危険な「暴徒」にしか映らない。

小学校五年生の時のあるシーンをはっきり覚えている。社会科の授業で「香港返還」と「基本法」のことを初めて勉強した。「五〇年不変」という説明に、いつも静かで滅多に質問しない小学生だった私は突然、「五〇年経ったらどうなるの？」と口に出してしまった。「誰もわからない」と、先生はどこかいつもより真剣な声で答えた。

これからどうなるか、先生だけでなく誰もがわからない。ただ、長い歴史、制度、共同の記憶に基づいて形成された香港という主体と香港人というアイデンティティは、簡単には消えない。もしこの主体性が人類の価値、欧米とアジア両方の文明、中華文化に少しでも役に立つなら、滅びてほしくない。でもこうした大袈裟な話をしなくとも、私にとって、香港人にとって、香港は自分の家だ。たいした価値がないと言われても、何度絶望しても、香港を守るために、やはり香港人は行動を起こすだろう。

†戦争の次元

先日、私はまたパソコンの前でLIVE映像を見ていた（各メディアのFacebookページでデモのLIVEを見るのが二〇一九年六月以来、多くの海外香港人の日常になった）。今回映っているのは実家のすぐ近くのところだった。毎日通っていた道、小さい頃から通っているマクドナルド、小学生時代姉と二人で毎日お昼を食べた大快活（中華料理、洋食などを提供する有名なファーストフード店）、昔よくミニ四駆を走らせた公園、毎日何度も渡った交差点、実家があるマンションの正門とロビーの中、うちのメールボックスの前……その晩、その全てが機動隊に占められていた。

実家の隣にある警察署の辺りで刺激臭がすることに、私の母親を含めた多くの近隣住民が気づいた。警察署で催涙弾の使用訓練が行われたのではないかと人々は疑っていて、その夜に警察署の周辺に集まって警察に説明を求めた。すると、武器は言うまでもなく、マスクやヘルメットなどの装備すらつけていない住民たちに対して、完全武装した機動隊がいつも通り大量に出動し、住宅街で集結し、あちこちで催涙弾を発射した。

二〇一四年の雨傘運動でも催涙弾はたくさん使われたが、当時の私はよく知らなかったので、催涙ガスを嗅いでも泣いたり、呼吸がしばらく苦しくなったりするくらいのことだろうと思っていた。しかし実際は、催涙ガスは人の目、皮膚、呼吸器に焼け付くような痛みを与えるだけではない。含まれる化学物質には毒性があり、建築物などに付いて残留すると、その毒の影響はしばらく続く。猫や犬などの動物には致命的な危険があり、銃によって発砲される催涙弾にいたっては、撃たれれば、その衝撃力自体で致命的な傷を負う。さらに、香港警察が使う一部の催涙弾は期限切れのものだということも判明した（明報新聞網、二〇一九年八月一二日付）。

実家の辺りは住宅街（三〇階建て以上で各階に八〜一六世帯が住むぐらいのマンションがたくさん建つ人口密集的な場所）であり、老人、子供、妊婦も多くいる。しかも警察署の隣にある、警察署より大きな建物は、精神障害、発達障害、知的障害、身体障害などを抱える障害者向けのサービスセンターである。

当時、どうして警察はその化学兵器を使わないといけなかったのだろう？　住民に抗議されたからだろうか。スリッパを履いている住民が違法に集結して、怖かったからだろうか。理由にならない理屈が今日の真理である。

†政権と恐怖

二〇一九年六月以来の香港警察による行動を振り返る前に、今までデモ隊の「暴力」について説明しておこう。まず、デモ隊の中の人々は銃を持っていない。この点を無視して、アメリカ警察の暴力と比較し香港警察の「手加減」を論証する愚者が大勢いる。また、少数の人が道のレンガを掘り起こして投げたり、棒を持ったりすることもあるが、大部分の人にとって武器として使えるのはせいぜい傘しかない。八月下旬から火炎瓶の使用について徐々にメディアの注目が集まってきたが、放火罪で終身刑を受ける可能性があるので、リスクを冒す人はほんの少しである。

七月一日にデモ隊は立法会（議会）の庁舎内に突入した。マスメディアは、マスクをかけた青年たちが道具で庁舎のガラスを割っている瞬間の写真をよく取り上げる。しかしそ

図3-1　立法会庁舎に突入するデモ隊（提供：朝日新聞社）

の行為の背景に注意を向けないといけない。憲法、法の支配、自由、それらを損なう危険をもたらす「逃亡犯条例」改正案に反対するため、一〇〇万人、そして二〇〇万人（総人口の二〇パーセント）の平和的なデモが行われた。しかしそれは無視され、人々が建物のガラスを割って突入して、やっとその改正案の進行がしばらく止まったのだ。

一方、警察が、デモ隊、香港内外の記者、ボランティアの救急隊員、一般市民、外国人に対して、警棒、ライオットシールド、ペッパースプレー、ペッパー弾、催涙弾、ビーンバッグ弾、スポンジグレネード、ゴム弾などを乱用した事例は、数え切れないほど存在する。自分の識別番号を隠すこと、「ゴキブリ」と市民を呼んだり女性を侮辱する言葉を叫んだりすること、警棒とライオットシールドで人を袋叩きにすること（頭、腰を含む）、外国人記者やボランティアの救急隊員である女性など人々の頭に発砲すること、抗議してきた相手の顔面に直接ペッパースプレーを発射すること、すでにねじ伏せた人の手を逆の方向にねじ切ったり腰や首に重圧をかけたりすること、デモ隊に偽装して紛れ込むこと、地下鉄の車内に入って市民を殴打すること、駅の構内で一メートルの距離から逃げているデモ隊の人々に掃射すること、逃げるデモ参加者を白バイで追いかけて車体をぶつけていくこと、至近距離で高校生の左胸に実弾を発砲すること……警察はこれらすべてをカメラの前でやっていた。[2]

逮捕者への侮辱、脅迫、虐待、性暴力、弁護士や家族への連絡の禁止、負傷者をすぐに救急隊や病院に移送しないこと、男性警察官が分娩室に入ることなどをめぐる証言や批判も相次いだ。ワシントン・ポスト、アムネスティ・インターナショナルなどの有名メディア、国際的人権組織も調査を行なって、警察の反則行動を指摘している。

†警察をめぐる記憶

小学校の二年生か三年生の頃、私の父親は警察署で働いていた。友達に聞かれると、「警察署で働いているよ」とちょっと自慢気に答えたことを覚えている。「警察なの？」と確かめられたら、「いや、警察じゃないけど警察署の食堂のシェフだ」と説明した。普通のお店より警察署のほうがかっこいいと当時は思っていたのだ。ある週末の夜、父は家で暇そうにしていた私を連れて、仕事場に行った。初めて警察署に入って少し緊張したが、自分はシェフの息子でちょっと特別な存在なのだと思い、ワクワクもしていた。

もちろん、シェフと言っても、父はただの従業員だった。食堂に来て食事をする警察官はほんの少しだけであった。警察官は食堂の子供にあまり興味がなく、私も人見知りだったので、それはありがたかった。その晩、私は父からたくさんコインをもらって、食堂にあるアーケードゲーム機でずっとストリートファイターをやっていた。

また中学生時代には、友達と遊びに行く途中、職務質問されたことが何度かあった。IDカードとカバンの荷物を見せながら、せっかくだからと警察官に色々質問した。「身分証明書を持ってなかったなら、どうされますか?」と自転車でパトロール中の巡警に聞いたり、「所属はCID(Criminal Investigation Department: 捜査第一課に類する)ですか?」と私服の警察官集団に聞いたりした。「警察官になりたいの? やめた方がいいよ」と、彼らは少年の好奇心を満たしてから言った。

二〇一九年の三月、香港に帰って親友の結婚式に出席した。高校時代のクラスメイトも何人か来ていたが、その一人がKさんだった。Kさんは高校を卒業して一年間くらい経って巡査になっていた。その日、彼に仕事のことを色々聞いた。彼はEU（Emergency Unit：警備部に類する）に所属している。理由は、勤務の時間帯が安定しているからだそうだ。「警部の試験受けてみなよ」と彼は私を誘った。

香港の警察隊では巡査と警部の採用試験があり、大学卒の希望者はだいたい警部を目指す。Kさんは昔、クラスのリーダー的な人物だったし、運動能力も一番だった。彼にそう言われると、なんとなく嬉しかった。

しかし、デモ隊の中の友達を殴ったり発砲したりすることなんて、私にできるわけがない。しかも、警察の本質は軍隊に相当する政権の暴力装置なのであり、独裁政権だったら、彼らは血腥《ちなまぐさ》い兵器になる。現在警察官になっている人たちは、この本質を、採用面接で長官に教わることはなかったのだろう。「君たちは普段、市民の命と財産を守るけどさ、上の命令があったら市民を殺すことになるぞ！　いけそう？」。こんな言葉を彼らは絶対言われていない。

ドラマや映画の中の警察官はだいたいが正義感が強いヒーローである。写実的だったり暗黒面を描いたりする映画だと、賭博、借金、汚職、容疑者への拷問、虐待、内部の争い、ヤクザとの結託なども描かれるが、ただその世界観は、やはり政治的現実を反映していない。警察は政権の暴力装置だという政治学・社会学的常識は、多くの香港人の頭の中に存在していないのだ。さらに、香港政府の独裁性が分かっていない人も多い。両者が混ざって発酵してしまい、ついに二〇一九年の光景を作り上げたのである。

香港の金融と経済が中国共産党にとってまだ不可欠の存在である限り、天安門事件のような一夜の血腥い大虐殺は起きないはずだ。しかしながら、それ以外の怖いことは何でも起こる可能性がある。

同時に、香港の警察官は人間であり、他の人間と同様に社会的動物である。同じ集団の人々は互いに影響し合い、インターネットで自由に情報にアクセスできても、結局エコーチェンバー（Echo chamber）現象で同じ主張を反復してしまう。少数の人はそれらを克服することができるが、牽制する力がない限り警察の暴走が持続することは予想できるのだ。

2　運命づけられた分裂

†集合的記憶と香港芸能人の自滅

二〇年、三〇年にわたって活躍し、時代の記憶を占める歌手がいる。彼らの歌を聴くと、長い年月を経ても当時の気持ちがもう一度甦る。優秀な俳優は何十本もの映画やドラマに出演し、物語の中で勇敢な英雄を、教養や知恵がある人を、もしくは奥が深くて複雑な感情も持つ人を演じる。彼らはかっこよくて美しいし、数え切れない役を演じてきた人生の厚みが目つきだけでも伝わってくる。彼らは国民的存在になり、人々の人生のロールモデルになることもある。

もちろん「裏切り者」の正体が時々露わになる。不倫や麻薬所持や飲酒運転や中告漏れなどが露見し、それらの不祥事に対して、「外国なら問題ないことだ」とか、「謝罪してしっかり反省すれば、またやり直せる」とか、世の中にはさまざまな意見がある。復帰する芸能人もいるし、そのまま消えていく人もいる。森林に喩えるとしたら、木が燃えたり伐採されたり、動物が死んだり殺されたりしても、必ず生き残る者、新しく成長する者がいて、生態系が存続する。

しかし現在の香港の芸能界は、まるで真ん中に国道が建設され、北と南が分断された森のようだ。香港の芸能人は香港でデビューし、香港というピカピカの看板をつけて大陸に渡る。中国大陸の市場は香港より非常に大きくて、沢山儲かるはずだ。食べ物と水源がある場所に命をかけて移動する動物は、何も悪くない。ただ人民元を稼ぐ場合、それに対して支払わなければならない代価があり、人によって程度は違うが、中には魂まで売ってしまう人も存在する。

二〇一九年、香港における大規模なデモの最中、中華人民共和国の成立記念日、一〇月一日に多くの香港の芸能人が中国大陸のファン向けのSNS「微博《ウエイボー》」で、「誕生日おめでとう」「祖国を愛する」などの発言をし、中華人民共和国の国旗の写真を投稿した。デモを支持する多くの香港人にとって、それらの芸能人は香港の裏切り者であるだけでなく、道徳がなく、卑劣で、気持ち悪い人間ということになった。

理由は、言うまでもなく、中国共産党政権を擁護する香港政府と警察が、香港人に残酷な暴行を加えていたからだ。もちろん主権譲渡以降の、中国政権による同化政策への拒否感も背景のひとつである。

お金のために政権にこびへつらう芸能人もいるし、ただのバカも多いのかもしれない。なぜかわからないが、彼らは政権の組織的で圧倒的な暴力に、神様のような寛容の精神を持っている一方で、市民社会の分散的で弱い抵抗には容赦しない。またカメラの前で中華人民共和国を褒めたり愛を伝えたりするが、子供を中国大陸の学校に送ることはないし、資産は海外の銀行に置き、引退しても中国本土には暮らさない。

そのような芸能人が多ければ多いほど、彼らの作品にまつわる思い出や集合的記憶はどんどん色褪せてしまう。長年尊敬し愛してきたロールモデルが善悪の判断もできない人間だと気づいた時、個人的にはがっかりして裏切られた気持ちがするが、社会的にはどのように受け取られるのだろうか。

中国で活動する芸能人は、共産党政権を擁護する姿勢を示さないと、中国大陸の人々に非難されかねない。そのため普通の芸能人は中国市場から追い出されないように行動する。国際的なスターならば、政治については黙っておけば安全である。巨大な中国市場に永遠にボイコットされる危険性も顧みず、自由、法の支配、民主主義のために勇気を持って発言する芸能人はわずかである。

こうした芸能人の「裏切り」で、多くの香港人の心は離れていく。その結果、社会にとってただ娯楽が少なくなるのみならず、かつての記憶も感情も奪われ、過去の信仰がすべて嘘になってしまう。

このような芸能界に見られた香港社会の亀裂は、社会全体の反映でもある。香港市民の家族関係も、それは例外ではない。

†家族との「政治闘争」

もし香港で統計調査を行って過去一〇年間の家庭内の喧嘩の頻度を調べてグラフにしたならば、二〇一四年に一つの山ができ、二〇一九年にピークがくるだろう。恐らく、親子喧嘩が多いはずである。親は親中派で、子供は民主派・本土派というパターンが多いからだ。テレビや新聞は政府側の発言とデモの報道ばかりだし、マスメディアから逃がれて自分の携帯をいじっても、デモをめぐる悪口、非難、もしくは賛成派からの情報、宣伝、動員が、SNSの投稿やグループからのメッセージで流れてくる。両陣営（おおよそだが、細かく分けるといくつもの陣営がある）にはそれぞれの情報源があり、エコーチェンバー現象を意識して敵側の発信に注意する人はそれほど多くないだろう。

香港全体も家の中もまるで火薬庫であり、わずかな火花でも火事になる。普通は喧嘩して黙るか、喧嘩しなくても、イライラした空気になる。子供が出かけたり夜遅く帰ったりしたら、デモに行ったのかと親が疑い始めて、また喧嘩になる。親がスマホで親中派によるデマや偏向報道のようなメールやSNSの投稿や動画を見るのを見つけた子供は、やめさせようとして、また喧嘩になる。もっと激しい場合だと、デモに参加する、まだ学生である息子や娘を、親が家から追い出す。もしくはすでに家にいられなくなった子供が、自分から出ていく。もう就職している子供だったら、親への毎月の仕送りを停止し、「経済制裁」をする。

正面衝突を避けた、温和な方法もある。まず多くの親中派の親のひとつの特徴が、学歴が低い労働者階級が多いということである。TVBという地上波テレビ局の無料放送を見るのは、彼らの長年の習慣だ。残念ながら、このTVBというかつて大人気で、多くの香港人とともに成長した「国民的」放送局は政権寄りであり、偏向報道が相次いでなされている。ＴＶＢのニュースを毎日見る多くの親世代には、政権の暴力が見えず、火炎瓶やレンガや壊された窓しか目に入らない。それに対して、就職している子供はNow TVなどの有料テレビチャンネルを実家に設置する。お金がかかるが、面白いチャンネルも多いし、比較的に中立なニュースをよく見るようになれば親が少しは変わるだろうと期待するのである。

†父と「愛国者」の創成

私はちょうど、二〇一四年にも二〇一九年にも香港にいなかった。にもかかわらず、父との関係はよくないままである。普段無口の父は夕食の間に、たまに政治や時事について発言をする。たとえば社会運動や議会での論争や抗議活動に関するニュースを見ると、原因を問わず「迷惑」や「トラブル」などのコメントをする。たまに我慢できずに軽めに反論すると、すぐに彼は怒る（長年妻と一緒に苦労して息子を大学で勉強させるようになった結果、社会学を選んだ息子が自分に反論してきた。皮肉というか、宿命というか）。二〇一九年のデモ活動の最中に姉が家で少しだけ意見を言った時も彼は爆発した、と母から聞いた。

父の考えや行動は、私には想像できる範囲である。家の新聞はいつも親中派の『東方日報』であり、彼の愛読書は「共産党元老」や周恩来などをテーマとするものである。TVBよりも、彼は怪しい中国大陸のチャンネル（画面が綺麗ではないし、どこからの地上波かもわからない）の愛国ドラマを味わっている。武俠《ぶきょう》の正義への追求と悪の政権に抵抗する勇気と知性を語る、金庸の武俠小説も彼の愛読書だった。しかし時代の流れのせいか、虫食いのせいか、本が茶色に変色してバラバラになってしまい、彼もそれらを読み直す気がなさそうである。

二〇一三年に、大学の授業で行う小説の創作のために、父に聞き取り調査をした。彼に一時間も話を聞くという経験がそれまでなかったので、なんだか知らない人にインタビューするより緊張した。

父は九歳の時に中国大陸から一人で香港に来た。「来た」と言うより、彼にとってそれは「追い出された」経験であった。実家の負担にならないように長男である彼は香港にいる親戚の家に身を寄せたのだ。当時は一九五〇年代の後半である。政治的理由で難民として香港に来た人が多かったが、彼はそうではなかった。ただ、共産党の政治運動により、「地主階級」であった祖父の財産はなくなっていたそうだ。この背景は父の経歴につながっていると考えられるが、彼はその連結に気づいていないか、あるいは気にしていないらしい。

父はそうして香港に来た。最初は工場で働いて、住居も食事も工場が提供したが、給料はとても安く、仕事も激務だったそうだ。一九六七年の中国共産党支持者による暴動には参加しなかったが、彼は労働者として左派（中国共産党につながる勢力）に好感を持ち、植民地政府が嫌いだった。当時の香港の植民地政府と宗主国イギリスという支配者から、何の社会保障も与えられていなかったからだろう。逆に、彼は左派が催す新界への旅行に参加したし、左派が作った労働者向けの夜学にも通っていた。一九八九年六月四日の天安門の血腥い鎮圧については学生たちに同情したが、「彼らは外国勢力に左右されてしまっていたし、統治のため仕方なかったのだ」と彼は語った。

当時の私は何の反論もしなかった。一応取材なので、対象者の話を素直に聞くべきだと思ったからだ。もちろん後で息子として、社会学専攻の大学生として、父親と話し合うことも不可能ではなかったが、人は性格、育った環境、話し相手との関係によって、話が通じない時もよくあるのだと、私にはわかっていた。

†母と庶民の視覚

母は頑固な人ではない。二〇一九年にテレビで流れたデモや近隣の店の閉店と破壊される様子を見て、一応文句を言っていたが、私の意見はちゃんと聞いてくれる。母も香港人の一つの典型と言える。労働者階級出身で、香港の教育を受けたことがない。

彼女は、子供の時期に自分の父親が商売をできなくなったことを知っているし、文化大革命の時期に「紅小兵」の活動に参加させられ、「紅線女」（粤劇の有名な女優）が街で掃除をさせられる様子も見たことがある。[3] 母は中国共産党に特に意見はないが、それらの経験がまだ記憶に残っている。

母の考え方はまっすぐである。喧嘩や暴力を見ると非難する。中国共産党の干渉かアメリカの介入か市民社会の抵抗かは一切関係ない。広州に住んでいる伯母の広い家に行くたびに「大陸はいいなあ、ちゃんと発展できたし、心地いいし。香港で犬のように働いてもね……」と言う。

二〇二〇年の二月、旧暦の正月の挨拶のために母に電話した。二〇一九年のデモの話が終わった途端に武漢市で最初の症例が報告され世界に広まりつつあった新型コロナウイルス感染症の話をするなど、よくない話題ばかりだった。二〇〇三年のSARSも今回の新型コロナウイルス感染症も、香港にまで波及した。今回、香港で確診された初期のケースの多くが中国大陸の市民であった。香港の医療システムと医療倫理が大陸よりずっと良いという事実はもちろん知られていたし、多くの初期の患者がやはり、香港人に反対され続けていた高鉄（第1章参照）で香港に入国していた。

「まさに今回のようなことがあると予想できたから、皆デモに行って香港の「大陸化」に抵抗していたんだよ！　香港政府は我々が選んだ政府ではないし、香港のための政府でもない。だから大陸からの入国を禁止しようと医師や看護師や市民が何回も何回も叫んでも、政府が動かないんだよ」と、私はいつも通り便乗して母の考えを変えようとした。

「ウイルスはあちこちにうつってしまうし、マスクは全部買われてしまったよ……」と母も、香港のおかあさんの立場から文句を言った。

「二〇〇三年に大陸のおかげで広まってしまったSARSと、医師や看護師や病院の勤務者は死ぬ気で戦っていたけど、二〇二〇年の今日、政府は入国禁止の重要性さえ否定して、香港人の命を見捨てて中央政府の任務を果たそうとしている。医師や看護師は今回、何のために戦って、何のために自分を犠牲にしなければならないのか。それに大陸で数十、数百人が死んだと言ったとしたら、だいたいその何倍もいるよね」と私も徐々に庶民らしく話し始めた。

「そうよ。皆もそう思っている。いつも信じられないから……三〇万の「双非」（両親は中国大陸の住民だが子供は香港で生まれたため香港の永住資格を持つ人）も将来私たちの学校に押し寄せるのよ」と母は愚痴をこぼし、私はただ聞いて、母の推論には少し問題があるが、母のその気持ちを「修正」すべきではないと考える。

「伯母が住んでいるマンションに、武漢に寄って帰ってきた人がいてさ、そいつに熱が出て、今マンションは閉鎖されていて、伯母はずっと家にこもっていて出かけられないのよ」と母は言う。伯母の生活に憧れていた記憶はいつのまにか消えてしまったようだ。

†「大人」のやましさ

二〇一九年一〇月、デモはまだ進行中だった。香港の著名な知識人が日本に来て、デモについての講演会を開いた。そこに香港出身の留学生も何人か来ていて、皆で連絡先を交換した。数日後、七人くらいで食事に行った。自己紹介を除き、その食事会の話題は全てデモの話だった。デモはこれからどうなるか、どのような終局を迎えるのか、平和的デモを行う「和理非」の人々と武力を使用する「勇武」の人々はどんな状況で分裂するかもしれないか、などについて皆で意見を交換した。そしてそれぞれが日本でどんな宣伝活動をしているのか、これからどんな戦略で日本国民と日本政府の関心や実際の介入を求めようとするのか、という話をした。

皆は広東語で話していたので、周りの日本人の客や店員は話している内容がわからなかっただろう。もしもそれがわかったならば、彼らは私たちを怖いと感じたかもしれない。「北アイルランドのようになってしまうと、銃が使われるでしょう」「もし爆弾があって、間違えて子供に当たってしまったならば、デモの支持者の中で分裂が始まるだろう」。皆は仮説を出して、香港の未来をいろいろ推測していた。

もちろん私は普段、友達と話す時もよく政治を話題にするが、今回のように海外で、知り合ったばかりの「自国」の人と、「自国」の運命に関する話をするのは初めてだった。その時、自分のことを特別と感じたというか、偉いと感じたというか、ロマンチックだったというか……。

香港が大変な状況下なのだから、このような感じがあってもおかしくないだろう。特に香港にいて、実際に毎日戦っている市民にはあって当然だろう。「革命」には激情が必要だ。

しかし、この激情は私にはふさわしくないものだ。私は香港にいないし、日本でも、文章と簡単な報告で香港の事情を発信する以外には、日本の議員に連絡したり、展示会やデモの開催の手伝いをしたり、というようなことを含めて、何もしなかった。私は、彼らの激情を盗んだ自分のことを気持ち悪く感じてしまった。

講演会の最後に、ある香港からの留学生が警察の暴力や、香港での異常な「自殺」現象を聴衆に紹介し、香港の若者の気持ちとデモの臨場感を伝える時間があった。

私は、その留学生に挨拶をして、「ここで君たちの姿が見られたのは嬉しかった。さっきの話、大学院生の僕が言うより、やっぱり君たちのような若者が……」と言ってしまった。私は自分の話したことに驚いてしまった。危険な発言を自分より若い子に任せるなんて！　それは自分の将来の研究者としての仕事のためなのか？　血腥い暴力や白色テロに関する発言をせず、政治的な立場を見せず、「客観的」意見しか私は言わないのか？

私も「大人」になってしまったのだろうか。仕事のため、家族のため、前線へ行かず、衝突を避け、警察に許可された集会やデモにしか参加しないような。それをやましく感じて、寄付したり、デモの隊列で飲食店のクーポンを学生たちの手にねじ込んだりするのだろうか[4]。

なぜ多くの「大人」はやましく感じるのだろうか。危険なデモに参加していないのにもかかわらず危険なデモを支持するのも原因であるが、もう一つの原因は、彼らが昔、多くの抵抗する機会を取り逃がしてしまったからだ。その一つは一九八九年六月四日の天安門事件であった。

天安門事件の直後に香港で大規模デモがあった。もしもその勢いを機に、香港全土で徹底的な「三罷」（罷工＝ストライキ、罷課＝授業ボイコット、罷市＝商店休業）を行ったならば、中華人民共和国への主権譲渡の決定が何か変わった可能性もあったのではないか？　少なくとも自由と民主主義に基づく香港の主体性を今よりもう少し確保できたのではないか？　そうしたら、中国大陸に隣接する香港は「自由対独裁」の最前線を現在より強固にし、中国大陸の民主化に影響を与えられなくても、台湾以外にもう一つの民主的華人社会を作れたかもしれない。天安門で死んだ学生たちにも少しの慰めになっただろう。

過去には戻れない。歴史も変わらない。二〇一九年にたびたび聞こえてくるのは、「もし我々の世代がもっと頑張ったならば、今の若者はこんなに大変じゃなかっただろう」というやましさを感じる話であった。

3　二〇一九年の小辞典

本節は、二〇一九年のデモで聞かれた言葉の小辞典である。これらの言葉を通して、デモの現場の雰囲気、支持者の心境や香港の庶民文化の一端に触れられるだろう。好きなところからお読みいただければ幸いである。

†スピリット篇

【be water】

水になれ。ブルース・リーはアメリカのテレビドラマ『グリーン・ホーネット』（The

Green Hornet: 一九六六〜六七年）のオーディションを受けた際、および『復讐の鬼探偵ロングストリート』(Longstreet）の第一話「波止場の対決」(The Way of the Intercepting Fist: 一九七一年）で、あるいは彼の自伝『ブルース・リー——生活の芸術家』(Bruce Lee: Artist of Life）でも、カンフーの極意を自由に変化する水に喩えて論じた。

二〇一四年の雨傘運動で、一一月二六、二七日に旺角《モンコック》の占拠地は警察に追い散らされたが、市民は再び集まったり周囲を歩いたりし、追い散らされると、またしばらく離れたりした。それは「be water」戦略の初期の形だと見なされることがある。学者・評論家である陳雲（本名：陳云根）は二七日に旺角における市民の行動をブルース・リーの「be water」だと評した。

二〇一九年に「be water」を戦略とするデモの参加者は地区の占拠にかかわらず、警察の行動や時間や場所によって進んだり撤退したりしていた。同時にメッセージアプリやインターネット・コミュニティなどを活用し、政党や政治団体や政治家に頼らず、自発的に行動した。行動の手法は極めて多様で、参加者は各自の特技や専門知識を生かし、街での平和的なデモ、目的の場所への突入や包囲、警察との衝突、米国への請願、SNSでの宣伝、募金、各国でのロビー活動、展覧会、新聞広告の投稿などをした。

【和理非】

和平（平和）、理性、非暴力の頭字語。平和、理性、非暴力を原則として、市民的不服従で、不正な法律に反対する、政治改革を求める理念とその理念を持つ人々を意味する。特に民主派が長年唱えていた理念である。しかし香港の自由と主体性が徐々に失われ、民主化は進まないだけでなく、さらに退化している。「和理非」の理念を支持する人はまだ多いが、それを疑う人も増えている。

【勇武】

ある程度の武力を使用し、不正な法律に反対し、政治改革・革命を求める精神・その精神を持つ人々を意味する。最初に香港の社会運動に対し、「勇武」という語彙を頻繁に使って「勇武」の可能性を詳しく論証したのは、前述の陳雲だと考えられる。二〇一〇年代初期頃「勇武」を否定する人は多かったが、特に二〇一九年のデモを経て、認める人が明らかに増加した。

【兄弟爬山、各自努力】

「それぞれのやり方、努力で同じ頂の山を登ろう」と訳される。「和理非」と「勇武」との協力を表現するスローガンである。互いに否定するより、むしろ相手の価値を認め、ともに努力する信念である。「行動の形式（デモ、宣伝、寄付、募金など）を問わず、各自の役割を果たして貢献したら良い」という理解もできる。

【手足】
兄弟のような大切な仲間。二〇一九年のデモ支持者たちのなかで互いの呼び方としてよく使われた。

【割席】
絶交。仲間割れ。相手との関係を絶つ。二〇一四年の雨傘運動では、デモ参加者は互いに疑ったり、「鬼」（スパイ）だと指をさされたりする光景がしばしば見られた。その経験を踏まえ、二〇一九年に「不割席　不篤灰　不分化」（仲間割れをせず、告げ口をせず、切り崩しをしない）というスローガンが流行った。「核爆都唔割」（原爆でも仲間割れをしない）という言い方もよく聞かれる。

【煲底】

金鐘での立法会庁舎の下の指定されたデモ区。広東語の「煲」は鍋を意味する。あるいは「電飯煲」（炊飯器）の「煲」である。「底」は「下」の意味である。立法会庁舎の形は鍋・炊飯器に似ており、その下に空いている空間が「鍋・炊飯器の下」と喩えられ、そのためデモ区が「煲底」と呼ばれた。

また、「煲底の約束」も有名である。「煲底」は指定デモ区であるので、普段、そこでいろいろなデモが行われる。二〇一九年六月一二日に、「逃亡犯条例」改正案の第二読会（法案の可決まで、第一、第二、第三読会の審議が必要）を阻止するために、「煲底」を含め、立法会庁舎と隣の政府庁舎の辺りに多くの市民が集まった。警察の鎮圧が始まり、過剰な暴力で負傷者が多く出たが、これが刺激となり、「デモの長期化」につながった。二〇一四年の雨傘運動より、警察の暴力がさらにひどくなり、大規模デモの展開とともに、犠牲者、負傷者、逮捕者が増加した。いつか勝利を迎えることができたなら、「煲底」に戻り、マスクを外し、顔さえ見たことがない、一緒に戦っていた仲間に会おう、との約束が流行り始めた。励ましにせよ、「革命のロマンチック」にせよ、絶望の香港で政権に抵抗し続ける市民、特に前線に行っていつ死んでもおかしくない人には、このような希望が必要なのではないだろうか。

【行街】

「行街」は街をぶらぶらすることや、ショッピング、物見、買い物することを意味する。二〇一九年の社会運動では、デモをしに行くことを指す言葉になった。婉曲な表現であり、SNSや日常の会話で使う。家族の反対があるし、街で周りの人の政治的立場に配慮せざるを得ない時などに使う。また法律的には、デモを行う前、警察署に「不反対通知書」(日本の集会・集団行進・集団示威運動許可申請書に相当)を申請しなければならない。しかし、その許可申請書を取れない時がしばしばある。したがって、SNSなどで市民を動員する際、違法集結扇動罪で訴えられないように、「行街」という婉曲な表現を使用する。むろん、皆がその言葉を新しい意味で使い、同じ意味で理解しているとすると、文脈と現実の行動が参照され、「婉曲な表現」と言っても訴えられる可能性があるだろう。

【発夢】

夢を見る。二〇一九年ではデモをしに行くことを意味した。婉曲な表現である。例文「昨日夢を見た。すごく怖かった。機動隊はショッピングモールの中に入ってはダメなはずなのに、そこまで追いかけられ、三メートル近くまで来て、本当に死ぬと思った」。

【Gear】

デモに参加する時に着用する装備（特に前線に行く人が装着する）。ヘルメット、保護メガネ、防毒マスク（少なくともN95）、傘（警棒、ペッパースプレー、ペッパー弾、催涙弾、ビーンバッグ弾、スポンジグレネード、ゴム弾を少しでも防ぐため。警察のカメラに映らないため。万が一の時に自衛の武器にもなる）、生理食塩水、水（ペッパースプレーに当たったり、催涙弾の煙が近くにきたならば目を洗う）、サランラップ（半袖を着る場合、ペッパースプレーを噴射されないように皮膚の露出部を包んでおく）、着替え用の服（ペッパースプレーや香港警察の高圧放水車が放つ青い液体や自分の血で汚れるかもしれないし、催涙弾の煙を嗅いだら吐く可能性もあるので、着替えが必要）、動きやすい服（逃げる時早く走るため）、膝パッドなど。

【FA】

First aid＝応急手当。デモ隊の中の義務救急員や救急隊への呼び方としてもよく使われる。デモの現場で「First aid!」と叫ぶ声が聞こえる時は、だいたい誰かが怪我した場合である。ＳＮＳではよく「ＦＡ」と略される。平和なデモ活動でも彼らの姿がよく見られるが、特に警察に直面する前線では重要な役割を果たす。

【FC】

Fact check＝ファクトチェック、事実検証。SNSで流される情報はたくさんあり、運動を左右するのみならず、個人の安全にも関わる。ゆえに、本当かどうか確かめる必要がある。このことは二〇一四年の雨傘運動ではそこまで意識されていなかったが、二〇一九年のデモの支持者の間では広く共有されるようになった。ただし、言い過ぎてうるさいと思われる人もいる。なぜかと言うと、警察の虐待や性暴力を受けた被害者をめぐる情報や証言がたくさんあっても、当事者のプライベートや周りの家族や友人の安全のために、多くの場合は全てを確実に「FC」できるわけではない。だから何もかも「FC」と言いすぎると、人権保障を損ない、政権の暴力を擁護してしまうかもしれない。

【接放学】

子供を学校に迎えに行くこと。デモにおいては、夜遅くなるとともに、警察の行動に合わせて地下鉄の運休、道路の閉鎖がしばしば起こり、デモの参加者はその場から逃げる方法が少なくなる。逃げられないと、逮捕されるのはもちろん大変だが、逮捕される前後の暴力も恐ろしい。同時に、バス等に乗ることができても、途中で捜査に遭遇するかもしれない。そのため車を持つ人は、現場に行って彼らを助けることが少なくない。デモ隊には中学生（日本の中高生に相当）や大学生が多く、車を持つ人は主に二〇代後半以上の人だと想像できる。その年齢のイメージで「子供を学校に迎えに行く」という婉曲な表現がされている。

【私了】

私的・個人的にトラブルを解決すること。中文の「私下了結」の略称。二〇一九年の社会運動の中期頃から出てきた現象である。運動の初期頃、デモの支持者は政府の支持者に脅迫されたり殴られたりしても、武力を使わず、警察に通報しようとしていた。しかし警察が介入すると、原告が被告になり、容疑者を逃げさせることがしばしばあったと指摘される。そのように公的手段では自分を守れなくなり、私的手段で相手に反撃する場面が現れ始めたのだ。また、広東語で、「私」（si1）と「獅」（si1）（意味はライオン）は同音で、「了」（liu5）と「鳥」（niu5）もほぼ同音に聞こえるので、「獅鳥」「鰤」（神獣、ゲームからの連想）と表記される時もある。

【魔法師】

魔法使い。いくつかの種類がある。「火魔法師」は火炎瓶を使う役。また、催涙弾の煙を消すために、「消防隊」という役がよく出動する。しかし敵に捕まるリスクがあり、毒の煙を長い時間吸収すると体にも負担になる。ゆえに「風魔法師」という珍しい役が登場し、巨大なドライヤーのような道具で催涙弾の煙を敵側に返そうとの試みもしたことがある。虫使いや、排泄物や臭くなりやすいものを発酵させる「錬金術師」も少し登場したことがあるらしい。


【装修】

付帯工事。二〇一九年のデモにおいては特定の場所を破壊する行動を意味する。地下鉄の駅構内、中国共産党の資金につながる店、政府と警察への支持を表明する店、親中派の議員の事務所などが狙われた。しかし、破壊する人は必ずしもデモ参加者とは限らない、との意見もある。


【和你飛】

直訳すると、「君と一緒に飛ぶ」。二〇一九年デモの最中にあった、香港国際空港でのデモ活動の一つの呼び方である。広東語の「和你飛」と「和理非」はほぼ同音に聞こえ、つまり同音異義の言葉遊びである。発音の他に「和你飛」の行動も「和理非」の理念（平和、理性、非暴力）に基づいている。

七月二六日、八月九日から一三日までの行動で、参加者は空港に集まったり、デモをめぐるスローガンを展示したり、海外からの来訪者に香港の状況を説明したりした。ただし来訪者に迷惑をかけたことや、八月一三日に中国共産党の機関紙『環球時報』の記者が拘束されたこともあった。「和你飛」行動に対し、有効な航空券や搭乗券を持たないと立入禁止になる措置が、空港当局と裁判所によって決定された。九月一日と二二日にも空港を麻痺させる行動が試みられたが、場所は空港に連絡する電車の駅や道路の料金所などに変わった。したがって、それらの行動には「和你飛」の代わりに、「和你塞」という呼び方もある。意味は道路や鉄道を詰まらせることである。空港の他に、普通の道路と鉄道への閉鎖行動にも応用できる呼び方である。

そもそもなぜ国際空港でデモを行うかというと、香港は国際金融都市であり、人の流れと物流が経済の肝である。つまり空港に影響を与え、欠航や遅延をさせることで、各国の注目を浴びることができるだけではなく、政府にも圧力をかけられると市民は考えたのだ。だから「機場＝政府の弱点＝政府の春袋（政府の陰嚢）」という比喩もよく聞かれる。実際に欠航や遅延の状況は確かにあったが、その影響は持続しなかった。しかし国際社会の注目を浴びることにはある程度成功した。

【黄店・藍店】

「黄」・「黄絲」(黄リボン)は民主派の支持者。「藍」・「藍絲」(青リボン)は親中派の支持者。「黄店」、つまり「黄色の店」は、デモの支持派や政府・警察を批判する店である。「藍店」、つまり「青い店」は、逆にデモに反対し、政府・警察への支持の態度を表明する店である。デモの支持者は「藍店」をボイコットする一方、「黄店」でもっと消費しようと呼びかける。そのような行動は一部の人の習慣になり、「黄色経済圏」が徐々に成立してきた。それらの香港人はSNSなどを活用し、どこに何の立場の店があるかを確認してから買い物をしたり食事をしたりするようになった。注意すべきは、「黄色経済圏」の成立のきっかけは二〇一九年のデモであるが、そもそも一九九七年以降中国共産党に関わる資金・政権への支持を表明する企業が香港の経済に浸透していたという背景があることだ。つまり中国による香港の経済への浸透と把握から政治の独裁性に転化する危険を察した市民社会が、「黄色経済圏」で政権と親中的財閥に抵抗したのである。

【TG放題】

†警察篇

Tear gas放題。香港警察の化学兵器・催涙弾を使用する頻度への比喩。日本料理の普及とともに、「放題」という日本語の語彙は香港で広く使われるようになった。「希望する量をどれだけでも食べることができる」との意味で受容されている。日本で使われている、「行ないなどが常軌を逸していること」や「自由勝手にふるまうこと」などの意味では理解されていない。ところが、警察の異常な行動に伴い、普段「食べ放題」「飲み放題」としか使われない「放題」が、知らないうちに日本語の元々の意味に戻るようになった。

警察の統計によれば、二〇一九年六月九日から一二月五日まで、使用された催涙弾は一万六〇〇〇発、ゴム弾は一万発、ビーンバッグ弾は二〇〇〇発、スポンジグレネードは一九〇〇発である。一万六〇〇〇発の催涙弾の中には、使用期限切れのものや成分不明の中国製のものも含まれていた。頭に撃つこと、地下鉄構内や住宅を含めて室内で発射すること、高い場所から下の民衆に発射することは明らかにメーカーや国連の規定に違反しており、そもそも香港という人口密度が非常に高い（六六〇〇人／km^2）ところで平均して毎日九〇発を撃つことも極めて危険である。

【Headshot】

人の頭に発砲すること。二〇一九年のデモで、香港警察が実弾でない銃を人の頭に撃ったという報道は少なくなかった。たとえば、九月二九日に湾仔で生中継をしているインドネシアのメディア『スアラ』（Suara）のジャーナリスト、ヴェビー・メガ・インダー（Veby Mega Indah）が警察の発砲したゴム弾で右目を失明したことが判明している。


【popo】

警察官へのあだ名。「police」の「po」、あるいは「police officer」の頭字語からできたとされる。二〇一九年に幅広く使われるようになった。語源について、一つの説は、一九八〇年代アメリカのカリフォルニアで警察官がパトロールする時に「PO」と書いてある制服を着用しており、警察官が二人組でパトロールすると、合わせて「POPO」と見えるためにそのあだ名ができたというものだ。

アメリカの歌手コーリー・スミス（Corey Smith）の二〇〇八年のアルバム「Outtakes from the Georgia Theatre」に収録されている『F*** the Po-Po』という曲は、警察官への不満を表している。二〇一九年六月にはラッパーのＪＢにより広東語の『FUCKTHE-

POPO／屌狗』が作られ、警察の反則行為と過剰な暴力を批判している。

【毅進仔】

警察官へのあだ名。このあだ名を理解するためには、まず香港の大学進学状況を知らないといけない。

高校生が大学に進学するためには全香港の統一試験（日本のセンター試験に相当）を受けるのが一般的である。基本的に各大学は自前の筆記試験は行わない。ここで言う「大学」とは、大学教育資助委員会の支援を受ける、八ヶ所の大学の指定課程であり、毎年約一万五〇〇〇名しか入学できない。

二〇一二年から「香港中学文憑考試」（Hong Kong Diploma of Secondary Education Examination: HKDSE）という試験が実施され始めた。大部分の中学校六年生（日本の高校三年生に相当）がＨＫＤＳＥを受験する。

それ以前、香港はイギリスと似たような学制を実施していた。つまり五年間の中学校の次に二年間、中学校における大学予備課程を受け、また三年間の大学の学部課程に入る。ただしトップの少数は五年間の中学校の次に直接大学に入る、というものだ。この制度で、中学校五年生は「香港中学会考」（Hong Kong Certificate of Education Examination: HKCEE）

を受け、上位の受験生が中学校六、七年に進学し（トップの少数は直接大学〔学部〕に進学）、七年生の時に「香港高級程度会考」(Hong Kong Advanced Level Examination: HKALE, A-Level) を受け、合格者の一部は大学に進学できた。

HKDSEにせよ、A-Levelにせよ、「高校卒」と認められる子の中で、最終的に大学に入れるのは二〇パーセントにも至らない（二〇〇〇年代から現在までの日本だと、大学進学率は約四〇～五〇パーセント程度である）。

香港で警察官（巡査）になる場合、高校卒や学部以外の課程を卒業する人が多い。そこで、「紀律部隊」（制服系公務員）を目指す人は、よく毅進文憑 (Diploma Yi Jin: 毅進) の課程を受ける。この背景が「毅進仔」の「毅進」の語源である。

「仔」は時々人を見下げる時に使う呼び方である。言い換えれば、「毅進仔」とは、香港警察官に対する「学歴差別」（英語能力を含む）である。むろん、高学歴の警察官もいるし、香港市民は「毅進仔」というあだ名のひどさがわかっているはずだ。大学卒ではない市民もたくさんいるし、毅進を卒業した一般市民も少なくない。仮に警察官が法律を守り、警察の権限と義務に準じて普通に働くならば、「毅進仔」というあだ名は広がらなかっただろう。しかし二〇一九年を経て、彼ら警察官は多くの市民からの敬意を失ったのみならず、特にデモの支持者にとっては忘れられないほどの恨みも生じた。その「何の悪口でもいいから言いたい」との気持ちを踏まえれば、「毅進仔」は、「学歴差別」というより、学識と教養のなさへの批判ないし人格への否定だと理解したほうが良い。

【Condom】

コンドーム。使い捨てのものという意味で、警察官の立場を表す比喩である。政府高官はデモを鎮圧するために、警察官の反則行動を暗黙のうちに許した。しかし落ち着くと、全員ではないが、一部の警察官の反則行動を調べたり、市民からの起訴に素直に対応したりするかもしれない。すると、その一部の警察官は裁判を受け、有罪となり、仕事を失うかもしれない。それは政府に使い捨てにされたようなものである。むろん、将来どうなるかはわからないが、この比喩で覚悟し、反則行動をやめておけば、と市民は思うだろう。

一方、この言葉は時々デモの前線でも使われる。「前線の仲間はゴムではない！」と繰り返し注意が喚起される。つまり、前線の人々は使い捨てのものではなく、彼らの行動（違法な衝突や破壊など）を理解し、逮捕された人や負傷者に関心を持ち、法律やお金の支援をするように、ということである。

【六・一二】

二〇一九年六月一二日に、香港から中国本土へ、犯罪容疑者の引き渡しを可能にする「逃亡犯条例」改正案の第二読会を阻止するために、たくさんの市民が金鐘の立法会庁舎と隣の政府庁舎の辺りに集まった。警察の鎮圧が始まり、過剰な暴力により負傷者が多く出て、これはそれ以降のデモの長期化にも刺激を与えた。

【二〇〇万＋一】

「逃亡犯条例」改正案に反対するために、六月九日に大規模デモが実施され、主催者発表によると一〇〇万人が参加した。前項で述べたように同月一二日にデモに参加する市民と警察との衝突が発生し、警察はペッパースプレーや催涙弾などで平和的なデモを鎮圧し、運動の長期化に影響を与えた。

一五日午後四時頃、三五歳で背中に「林鄭殺港　黒警冷血」（キャリー・ラム〔行政長官：政府の首長〕は香港を殺し、黒い警察は無慈悲だ）と書いてある黄色いレインコートを着た梁凌杰が、パシフィック・プレイス（太古広場）の四階の工事現場の足場で、「反送中」（中国に身柄を送るな）、「全面撤回送中」（改正案を撤回しろ）などと書いてある横断幕を掲げて足場に留まっていた。「死ぬな！　諦めるな！」と現場にいる市民が足場にいる梁にずっと叫んでいた。警察の交渉人と同時に、民主党の立法会議員である鄺俊宇は梁の近くに行って交渉したかったが警察に止められたという。鄺はメガホンで梁を説得していた。しかし夜九時頃に至って、梁は足場の外側の縁を越えた。消防士たちが彼を引っ張って助けようと試みたが、彼はエアマットの隣の地面に転落した。

翌日の一六日に大規模デモが再び実施され、主催者によれば二〇〇万人が参加した。梁の犠牲を重要視する市民はそれを「二〇〇万＋一」のデモと呼ぶ。

一〇〇万、二〇〇万などの数字の信憑性についてはさまざまな議論があるが、人口わずか七五〇万程度（二〇一九年）の香港で、仮に数十万のデモ参加者がいるというだけでもかなり大きな数字であろう。そして参加者の人数だけでなく、階級や年齢層の広さも今回のデモの特徴だ。裁判官、弁護士、公務員、医師、看護師、教師、記者、会計士など、さまざまな専門職の人々も平和的なデモを行っている。

【七・二一】

二〇一九年七月二一日の夜八時半、白いTシャツを着た集団が棒などの武器と中華人民共和国の国旗を持ち、元朗《ユンロン》駅の周辺に集まっている、と議員が警察に通報した。また一〇時頃、白いTシャツを着た人が元朗の街で人を襲撃したという情報があった。一〇時四五分頃から一一時一〇分頃の間、元朗駅の構内と列車内で白いTシャツを着た集団は、市民（デモに参加した人や普通の通勤客を含む）を無差別に襲撃したが、機動隊は一一時二〇分にようやく現場に到着した。しかも、通報に対応しなかった／異常に遅かった警察が、白いTシャツ集団のメンバーと普通に話している写真ものちに公開された。

【八・三一】

二〇一九年八月三一日に太子駅で身分不明の警察集団（デモの初期からずっと顔と識別番号を隠している）が構内・車内に突入して市民を襲撃した。映像を確認すると、警察集団が、駅構内で人を逮捕するほかに、車内の市民を挑発して殴っているというシーンもあった。のちに現場が閉鎖され、公務員の救急隊と消防士も一時なかなか入れず、記者も入れなかった。閉鎖期間に何が起きたかはこれを書いている二〇二〇年四月現在でも明らかにされていない。太子駅で人が死んだと一部の市民は信じて、時々現場で花を手向けて慰霊をする。「八・三一」は「七・二一」とともにしばしば「テロ」と呼ばれる。

【一〇・一】

二〇一九年一〇月一日、中華人民共和国建国七〇周年の日。午後四時頃、荃湾《ツェンワン》でデモ隊と警察との衝突が起き、一八歳の学生である曾志健は白くて細い棒状の物で、銃を自分に向けている警察官の手を打ったが、その途端に警察官は至近距離で曾の左胸に実弾を発砲した。一度重体となった曾は同年一一月に退院した。「暴動」と「襲警」（警察官を襲撃）などの罪で訴えられている曾は二〇二〇年四月現在、まだ裁判を受けている。

【一一・四】

二〇一九年一一月三日に、ある警察官が将軍澳《ツェンクンオー》で結婚式を行った際、市民が警察への不満を表すため、結婚式会場周辺に集まった。四日深夜一時過ぎ、人が高いところから転落したという通報があった。二二歳の香港科技大学の学生周梓楽が駐車場で倒れているところを発見され病院に搬送されたが、八日に死亡した。この事件について、警察を疑う声が相次いだ。警察によると、警察官が駐車場に催涙弾を発射したというが、証言者によれば、周が発見されるより前に、警察は駐車場に入っていたという。香港中文大学医学院の教授である古明達によると、死者は落ちる前に意識不明になっていた可能性が高い。理由は、高いところから転落した人は、自然と体を丸めることや手によって自分を守るため、手足に骨折などの怪我があるはずだが、周にはそのような怪我がなかったという。

周の死亡に対し、デモや記念活動がたくさん行われると同時に、ブライダル業界の一部の会社は連合声明で、「警察官の予約を受け付けない」と発表した。


【一一・一一】


「三罷」(罷工=ストライキ、罷課=授業ボイコット、罷市=商店休業)を促進するために、デモ参加者は「黎明行動」という朝早い時間帯に交通を麻痺させる行動を行った。一一月一一日朝七時頃、西灣河《サイワンホー》のある交差点に障害物が置かれ、警察がそこで障害物を取り除く際に、デモ参加者と衝突が起きた。一人のマスクをつけた、手に武器を持っていない若者が警察官に近づくと、その警察官は銃を抜き、そして片手でその少年を捕まえた。同時に、もう一人の、手に武器を持っていない若者の周柏均が二人に接近すると、その警察官は周に銃を向けた。周は手で銃を払おうとしたが、その警察官は彼の腹に発砲した。

同日の同じ時間帯に、香港中文大学につづく「二号橋」で、デモ参加者が橋の下の高速道路に障害物を投げ、のちに現場に来た警察としばらく対峙したが、大規模な衝突にはならなかった。

しかし翌日、「黎明行動」と似たような道路を閉鎖する行動があると、機動隊が再び出動し、さらに中文大学に入ろうとした。多くの中文大学の学生や若者を含むデモ隊は学校を防衛しようと、機動隊と対峙した。一三日深夜まで、中文大学の「二号橋」のあたりで大規模な衝突が続発し、機動隊からは数えきれないほどの発砲音と催涙弾の煙が上がり、そこにデモ隊側が投げる火炎瓶（手で投げるので遠くへは投げられなかったが、機動隊の進行を牽制できたようだ。火炎瓶はデモ隊側の最前線で手作りの盾を持つ人々の隣に落ちてしまったこともあった）が加わり、現場はまるで戦場のようになった。中文大学の構内では負傷者が大勢出た。

†道具篇

【LIHKG】

「連登」。香港のインターネット・コミュニティである。パソコンの他に、スマホアプリのバージョンも提供されている。

ＬＩＨＫＧは二〇一九年のデモにとって非常に重要な場である。誰でもＬＩＨＫＧにアクセスできるが、発言したければ登録する必要があり、登録する際には、大学や大学相当の学校のメールアドレス、もしくは「ISP-email」を使わないといけない。いずれにせよ、個人情報が必要なメールアドレスである。加えて、行動の提案や情勢の分析などは自由になされており、その内容は他の会員に評価されたり、欠点を指摘されたり、無視されたりする。そのような選別・改良の過程を通じて、新たな行動の方向が決まり、実際にデモの動員や、宣伝やロビー活動の力に転化するのである。

【Telegram】

インスタントメッセージアプリ。メッセージの暗号化でユーザーのプライバシーが確保される。個人のチャットから数万人以上のグループ・チャットもできる。数十万のユーザーに購読されるチャンネルもあり、市民はそれを通じてデモの現場の最新情報にアクセスできる。

【党鉄】

香港MTR：香港最大の地下鉄システム（新界の電車や路面電車の路線を含む）であり、香港鉄路有限公司（略称：港鉄）が運営する。二〇一九年のデモの間、港鉄は政府・警察の行動に合わせて、突然運休したり、停車する予定の駅を通過したりしていた。それらの行動はデモの参加者の命に関わることである。合法的なデモが終わり、現場から離れたくても電車・地下鉄に乗れないかもしれないし、警察のアナウンスに従って違法なデモから離れようとしても、実は警察に囲まれ、さらに近くの駅が閉鎖され、逃げる方法がなくなっているかもしれない。あるいは駅構内や車内まで逃げても、運転が突然中止され、警察が駅構内や車内に入ることが許可され、結局、八月三一日の太子駅の事件のようなことが起きた。ゆえに、港鉄（gong 2 tit 3）への批判を表現する「党鉄」（dong 2 tit 3）という言葉遊びのあだ名ができた。中国共産党の鉄道・中国共産党のための鉄道、という意味である。

【pepe】

Pepe the frog＝カエルのぺぺ。アメリカの漫画家、マット・フュリー（Matt Furie）が二〇〇五年に作ったキャラクターである。カエルの顔と人間の体の対比が面白く、インターネット・ミーム（SNSで使われる画像やスタンプのようなもの）として人気になった。のちに人種差別主義やオルタナ右翼運動の象徴として使用され、欧米の一部の人にはマイナスなイメージを与える。

しかし香港人にとってぺぺには人種差別や右翼のニュアンスがなく、普通に滑稽なミームとして使われている。二〇一九年のデモで、ぺぺに基づく二次創作物が急激に増加し、ぺぺはデモ支持者のマスコットのようなものになった。SNSから、街の壁やデモ隊の人々の手元にまで、ペペの姿はよく見られる。八月一九日にある市民が香港デモでのペペの登場をマット・フュリーに教え、マット・フュリーは「This is great news! Pepe for the people!」（素晴らしいニュースだ！ 人民のためのペペ！）と返信した。

第Ⅱ部 香港と「日本」

中環の平和記念碑（著者撮影）

第4章　香港と日本アニメ——表象・記憶・言説

1　日本アニメと香港の過去

†共通の記憶と日本アニメ

香港と同様に日本に占領・統治されたアジアの国・地域はたくさんある。しかし戦後の香港植民地政府のように日本との文化交流を制限していなかった国・地域はわずかだ。香港と日本の交流は、映画と音楽において、戦争が終わって間もなく、一九四〇年代末頃には逸早く再開されたのである。

そんなふうに交流の再開が早かった日本文化のなかでも、アニメは、これまで香港でたくさん放送されてきた。日本初の三〇分テレビアニメであった『鉄腕アトム』は、日本では一九六三年に放送されたが、香港でも、一九六六年に麗的電視（一九八二年に亜洲電視と改称）が購入して放送が開始された。その後、一九七〇年代から現在にかけて、TVB（無綫電視）によって、『ドラえもん』や『ちびまる子ちゃん』など、計六〇〇作以上が放送されてきた。

私の子供時代、つまり九〇年代から二〇〇〇年代の前半にわたって、TVBだけでもほぼ毎日二、三本のアニメが放送されていた。現在はインターネット配信によりアニメなどのコンテンツをSNSやYouTubeの動画をスマホなどで楽しむ時代に入り、地上波で放送されるアニメの時間は前より減ってしまった。しかしながら、日本のアニメは依然として毎日必ず放送されている。

子供は素直で、大人が電気製品を選ぶ時とは違い、どこの国のアニメかなどは気にせず、アニメはアニメ、面白いものは面白い、と考える。香港の子供はもしかしたらそれが日本のアニメだということ自体に気づいていないかもしれない。実は日本のアニメを見ても、「日本」の気配があまりしないことも多いのだ。「日本」の気配は、私も、大人になって香港と日本との関係を振り返ってやっと気づいたことである。

†ローカライズされた日本アニメ

日本アニメは世界に進出しているので、世界の人々の間にも共通の記憶が存在しているはずである。だが、私はここで香港人だけに共通する記憶について話したい。というのも、当時の日本のアニメは輸出先でローカライズされていたからだ。現在インターネット配信で鑑賞すれば、その多くは字幕版であり、話される言語やオープニング／エンディング曲などもだいたい日本語のままである。しかし二〇〇〇年代前半までネット配信はまだ普及しておらず、テレビで放送される作品はローカライズされていた。

私が地上波テレビ放送によって見てきたほとんどの作品は、話される言語、登場人物の名前、オープニング曲などほとんどが広東語、つまりローカライズされた香港バージョンであった。

その一例を挙げよう。『カードキャプターさくら』のケロちゃんが大阪弁で話すことを覚えている読者はいるだろうか。香港TVBのバージョンでは、ケロちゃんは訛りがある広東語でしゃべっているが、その訛りは普通話（中国大陸の標準語＝「中国語」）の話者の特徴、「郷音」（田舎訛り）である。つまり、広東語を標準語とし、発展途上国である中国大陸の話者の特徴を「田舎訛り」と見なしていた、当時の香港の社会・経済・言語意識の跡がこのアニメには見て取れるのである。

香港人に共通の記憶としてもう一つ思い出すのが、ドラえもんの広東語声優としてよく知られる林保全（一九五一～二〇一五年）の声である。二〇一五年に彼は世を去ったが、当時香港人は彼の死を悲しく思うのみならず、彼の声と昔の『ドラえもん』（一九八二年から放送。旧訳は『叮噹』）が代表する、過ぎ去った香港の良き年月への感慨と現在への失望を味わった。この点については後でまた詳しく話したいと思うが、要するに、ローカライズされた日本アニメは香港の共通の記憶であり、そしてノスタルジアとしても作用するのである。

†「兒歌金曲頒奨典礼」

ローカライズのもう一つの極致は、TVBが行っていた「兒歌金曲頒奨典礼」（アニメソング大賞：一九九二～二〇〇九年、一九九六年はなし、以下「兒」）である。「兒」は毎年八月下旬、九月一日の新学期が始まる前に放送される、夏休みのクライマックスとしてあった特別番組である。「兒」では「十大兒歌金曲」（優秀賞）と「兒歌金曲金奨」（最優秀賞）が設けられ、当時の香港の子供向けアニメソングのアカデミー賞と言えるほど重要な祭りであった。

それぞれの曲は、主に日本のオリジナル曲を改編した作品であったが、日本アニメの物語に合わせて香港で新しく作られた香港オリジナル曲もあった。たとえば『ポケットモンスター』(無印)の香港版オープニング曲『寵物小精靈』(作品の香港訳名と同じ)は一九九九年に最優秀賞を得たが、現在の二〇代後半から三〇代前半の香港人なら誰でも覚えているだろう。

「児」の盛況とアニメソングの重視度を表す一つの証明は、歌うのが超人気歌手であったことだ。現在レジェンドと言える存在の陳奕迅、楊千嬅なども受賞したことがあるのである。

†アニメキャラは裏切らない

前章で論じたが、複数の香港の芸能人が、政権を擁護する発言をし、過去の栄光や数十年にわたって得ていた民衆からの尊敬を失ってしまった。

確かに、ドラマや映画や歌には自らの世界観がある。しかしながら、作品を作るには実在の人間が役を演じたり歌を歌ったりする必要がある。つまり架空の世界と現実の世界が密接につながっている。もし俳優や歌手が、それらの架空の世界の価値観に反する行動を現実世界でしたと民衆に思わせてしまったならば、その俳優や歌手を媒介として毒は作品世界に移ってしまう。

しかしアニメでは、そのようなことは起こりにくい。アニメには声優や監督、原作者がいるが、彼らは芸能人のように政権を擁護する公的な発言をあまりしないし、そもそも注目度も比較的に低い。さらにそれらの作品自体は日本のものなので、日本人の原作者や物語自体も、香港の政治と距離を置いている。ゆえに自立性が高くて、実在の人間の顔と体がない日本アニメの世界が汚染されるリスクが低い。この点を注意しておけば、のちに紹介する香港市民社会における日本アニメの強い可塑性と受容性をより理解しやすいだろう。

†『ドラえもん』と過去の香港

二〇一五年に永眠した、叮噹（ドラえもん）の吹き替えを長年担当していた香港声優の林保全を記念するために、広州で生まれ育った香港人の歌手である張敬軒の『叮噹可否不要老』が同年、発表された。作曲はEdmond Tsangで、作詞は陳耀森。曲名の意味は「ドラえもん、歳を取らなくていい?」である。まず歌詞の一部を見てみよう。

盤旋於天空的蜻蜓（空で飛んでいるトンボ）〔香港ではタケコプターを竹蜻蜓（竹トンボ）と訳する〕

盤旋之間告別無声（飛んでいる間に静かに別れた）
没你担当小孩救星　憑什麼任性（君に子供のヒーローを担ってもらえないと、わがままできなくなる）
難忘田夢有你和応（夢を追いかけていた昔の日々で君が付き合ってくれていたのを忘れられない）
童年最熟悉那声線（子供の頃一番知っていたあの声は）
連同卡通的故事沈澱（カートゥーンの物語とともに沈んでいく）
人人期望能如願　撐著傘　盼望見雨後晴天（夢を叶えるようにと皆は祈り、傘をさしながら、雨上がりの晴れ空を期待する）
懐念稚幼過得安然　神奇口袋找法宝　応変（幼い頃の落ち着きを懐かしく思う。不思議なポケットから魔法の道具を探して応じる）

『叮噹可否不要老』は林保全の追悼歌とされている一方で、昔の夢と、甘美な過去が消えていくことに対する感慨も歌われている。これは、二〇一四年の雨傘運動を思い起こさせる歌であった。

雨傘運動では、香港の主体性を守る民主主義的普通選挙を叶えるために、香港人が初めて政権の暴力に直面しながら、七九日間にわたり抵抗を続けた。それは香港現代史上の分水嶺だと言える。その翌年に、林保全がなくなったわけだが、林が吹き替えした叮噹／ドラえもんは過去の安定した香港を象徴していた。つまり過去の時代を象徴する林保全、もしくは叮噹／ドラえもんの死は、香港の死まで連想させる力があったのである。

読者の皆さんはもうお気づきかもしれない。歌詞の「人人期望能如願　撐著傘　盼望見雨後晴天」（夢を叶えるようにと皆は祈り、傘をさしながら、雨上がりの晴れ空を期待する）は、まさに雨傘運動の参加者や支持者の思いである。作者がそのつもりで書いたか否かは確認できないが、少なくとも多くの香港人はこの歌詞をそのように受けとる。曲の後半では、さらに「人人期望能如願　撐著傘　卻未見雨後晴天（夢を叶えるようにと皆は祈り、傘をさしているが、雨上がりの晴れ空はまだ見えていない）」と、多くの香港人の落胆と無力感を描いている。

†「本地蛋」

二〇一五年、雨傘運動の翌年に、映画『十年』が上映され、二〇一六年に香港電影金像奨（香港アカデミー賞）の最優秀作品賞を受賞した。『十年』は五人の監督による五つの短編で構成され、それぞれの物語で、政権と黒道との結託、都市の再開発による人と周りの

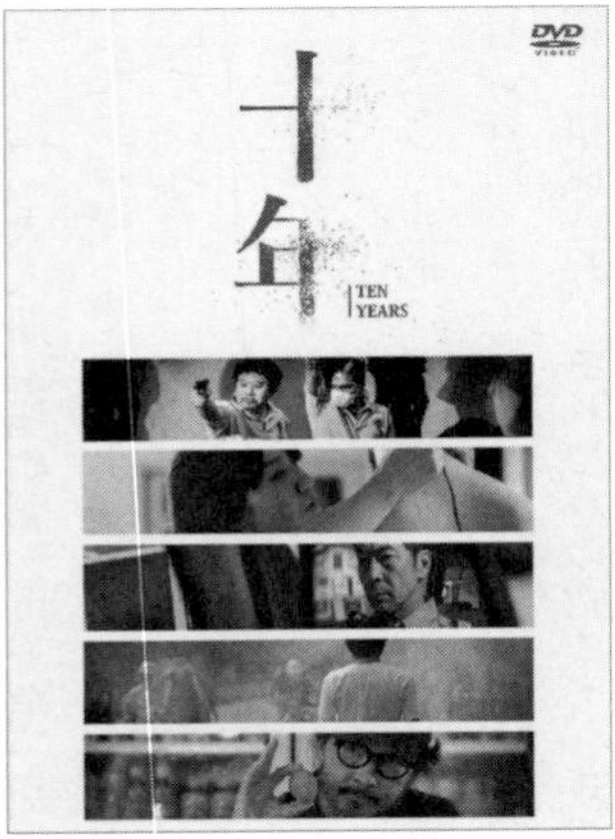

図 4-1　『十年』DVD（発売：Happinet）

環境との疎外、普通話（中国本土の標準語）による広東語に対する圧迫、若者による独立の主張と社会運動と政府による暴力と死、および政府が行う政治教育と自由の喪失をテーマとして描写している。

　言うまでもなく、『十年』は中国本土では上映できず、香港アカデミー賞の授賞式の生中継さえ大陸では放送されなかった。

これは映画が批判する自由の喪失が、中国政権の検閲によって現実となったともいえ、とても風刺のきいた光景だと言える。面白いことに、この作品でも自由の獲得と喪失を象徴する役は、再び叮噹／ドラえもんが担っていた。

『十年』の最後のストーリー「本地蛋」（地元産の卵）では、文化大革命時代のような政治教育を香港の少年たちは受けており、少年団に参加させられ、指示に従って任務を遂行する日々を送っている。地元産の卵を売る主人公の息子もその一人である。その息子は、普段どんな教育を受けているか、毎回何の任務を果たすのか、主人公に全部内緒にしている。

　少年団の任務は、理不尽なことばかりである。たとえば、主人公のお店では「本地蛋」

（地元産の卵）と書いていたが、「本地」という二文字が上からの指示に違反するとされ、少年団に批判される対象となった。それで、不信と価値観の相違により、親子の関係は徐々に悪くなってしまう。

また、主人公の家の隣の漫画屋も少年団の検閲対象になった。ある日、誰かからのメッセージを見て、主人公は急いで漫画屋に行った。少年団が「反則」した漫画屋に卵を投げつけているところで、主人公は自分の息子を見つけた。息子は卵を投げてはいなかったが、それでも主人公は怒りと悲しみを感じた。幸いなことに、漫画屋の店長が主人公に、彼の息子の善良さを説明した。彼の息子は漫画が好きで、物事の是非もわかっていて、ずっと漫画屋に少年団の情報を提供していたという。今回も息子の情報のおかげで、卵を投げられる前にシャッターを下ろすことができたのだ。

最後のシーンで、主人公と息子と漫画屋の店長の三人は漫画屋の秘密基地に行って、禁止されている多くの漫画がそこに保存されている。そして主人公は「禁じるなんで無理だね」と言い、息子は『叮噹』(ドラえもん)の漫画を読みながら、「そうだね。『ドラえもん』を禁じるなんてバカだ」と述べるのである。

†『ドラえもん』と自由の喪失

「本地蚕」に『ドラえもん』の漫画が禁じられる理由は描かれていないが、物語が置かれた文脈から、いくつかの解釈が可能である。

まず、『ドラえもん』の香港における歴史を説明しよう。『ドラえもん』は最初、一九七三年に香港の児童雑誌『児童楽園』の第四八九号に登場した（初期は日本側の許諾を得ていなかったそうだ）。漫画の連載は大人気になり、一九八二年からアニメ版の放送もＴＶＢで始まった。七〇年代の漫画版から現在まで放送され続けているアニメ版まで、香港の子供向けにローカライズされた『ドラえもん』は何世代もの香港人とともに成長し、彼らの共通の記憶になってきた。さらに「本地蚕」で主人公の息子がずっと読んでいる『ドラえもん』は、改称される前の古いバージョン『叮噹』であった。

「本地蚕」「叮噹可否不要老」などの作品でも現在の呼称である「ドラえもん」ではなくて「叮噹」という旧称を使っている。そこには何かこだわりが感じられる。「叮噹」という旧称は何を象徴しているのだろうか。

これには、「黄金の十年」と呼ばれた七〇年代が関係している。マクレホース（MacLehose）は一九七一年から八二年まで香港総督を務め、任期中、大規模な公営住宅の建設計画を立て、水道、道路、鉄道などのインフラと市民施設を整備した。また中国大陸からの不法越境を抑え、廉政公署という汚職捜査機関を設立した。このような政治による経済成長と社会の安定のおかげで潤った市民も多く、香港の七〇年代は「黄金の十年」と記憶されている。

その後の八〇、九〇年代は、主権問題もあり市民は心配していたが、香港史上最も豊かな時代だったと言っても過言ではない。

「叮噹」が代表するこの七〇〜九〇年代は、香港人にとってどれだけ誇りを持つべきものだったのだろう。そして二〇一〇年代以降を生きる私たちは、どれだけ喪失感と無力感に襲われなければならないのだろうか。「叮噹」をめぐる過去は、「地元産の卵」のように、地元のものであり、自分のものであり、大切にしていたものであり、そして消え行くものなのだ。これほど記憶と感情を喚起できるものであるということが、少年団に禁止された理由の一つであろう。

もう一つの理由は、『ドラえもん』が日本の作品だから、ということである。「反日」は時々中国政権によって操作され、愛国主義の高揚や他の政治目的の道具になる。「本地蛋」で描かれる香港の状態を考えれば、そういう操作があってもおかしくないだろう。

2 『カードキャプターさくら』への片思い

†『カードキャプターさくら』における「香港」

香港との縁が深いアニメといえば、『ドラえもん』の他に、『カードキャプターさくら』(香港訳名：百變小櫻 Magic 咭。以下『CCさくら』と略す)も取り上げなければならない作品である。二〇〇〇年にTVBは『CCさくら』を放送し始めた。当時人気があったとはいえ、『CCさくら』は「クロウカード編」と「さくらカード編」を合わせても七〇話しかない。二〇一八年に二〇年ぶりの新作であるクリアカード編がTVBによって放送されたが、これもわずか二二話である。『ドラえもん』のように香港に定着してはいない作品を、なぜここで取り上げるのだろうか。

実は『CCさくら』には、李小狼《リ・シャオラン》(以下シャオラン)という香港から転校してきたキャラクターがいる。主人公と一緒に戦い、恋人にもなった、とても重要な人物である(図4-2左)。

二〇一八〜一九年に展覧会「カードキャプターさくら展——魔法にかけられた美術館」

が東京と大阪で開催された。シャオランは展示や音声ガイドやグッズなど、あちこちに登場した。しかし彼の出身地である「香港」はというと、人物関係図に「香港から引っ越してきたさくらの同級生」という記載はあるものの、他には言及されていなかった。もちろん一九九九年に公開された『劇場版カードキャプターさくら』は香港を舞台に物語を展開していたし、「香港」という表象は製作陣にとって魔法と神秘の雰囲気を作る舞台装置として重要そうではあるが、日本人ファンにとっては「香港」はどうでもいい存在のようだ。

確かに、二〇〇〇年に八歳であった私もシャオランの出身地は別に気にならなかった。劇場版で香港の風景に出会っても、「へええ」だけで終わったと思う。

図4-2 『カードキャプターさくら クリアカード編 Vol. 2』DVD（発売：ワーナー・ブラザース・ホームエンターテイメント）

日本と香港の関係について研究をする現在の私にとって『CCさくら』における「香港」が気になるのは当然である。だが、そこには理性的な興味のほかに、「香港」の存在を感じて嬉しい、という気持ちが確かに含まれている。この嬉しさがなぜ子供の頃はなかったのだろうか。

二〇一八年のアニメ版「クリアカード編」には、「香港」の表象が、二〇年前より頻繁に登場するようになった。その第一話『さくらと透明なカード』の前半で、主人公さくらの部屋が映るシーンで、部屋の壁には何枚かのはがきが貼り付けられている。それらのはがきには香港の風景が印刷されている。

このはがきについては細かすぎて香港の視聴者にはあまりインパクトがなかったが、「クリアカード編」第九話「さくらのドキドキ水族館」はFacebookで注目を浴びた。さくらとシャオランが水族館デートをする間、香港から転校してきたさくらの同級生で、シャオランの従妹でもある李苺鈴《リ・メイリン》（以下、メイリン）がシャオランに送ったメールが話題になったのだ。携帯の画面には、「出嚟約會、就要做好我嘅護花使者啦、唔好咁怕丑」という文字が描かれており、「デートなんだから、ちゃんとエスコートすること！ 照れてばっかいないで！」と日本語の字幕が出ている。

途中で、さくらとシャオランは道に迷っている外国人カップル（白人の英語話者）に遭遇し、シャオランは自分から「Do you need any help?」と尋ね、そして流暢な英語で案内をした。さくらは「シャオランくん英語しゃべれるんだね!?」と驚き、シャオランは「香港にいたからなあ」と答えた。

二分足らずのシーンであるが、わざわざ香港の地元らしい広東語のメール（繁体字と広東語の仮借を組み合わせ、普段の話し言葉としての広東語をそのまま入力したもの）を作り、また香港人（特に若い世代）がわりと英語をしゃべれるという社会背景が描かれていたことに対し、Facebookで香港人ファンは嬉しさと『ＣＣさくら』への感謝の気持ちを表した。

†片思いする香港人

しかし、実はメイリンからのメール「出嚟約會、就要做好我嘅護花使者啦、唔好咁怕丑」は、「我」の使い方がおかしくて、変な文章である。訳すと「デートなんだから、ちゃんと私のエスコートすること！　照れてばっかりいないで！」となる。つまりシャオランはさくらと付き合いながら、自分の従妹とデートする、という意味になってしまうのだ。「丑」という簡体字も、繁体字を使う香港の若者はほとんど使わない文字である。Facebookでそれらのミスに気づいた人も少なくなかったが、それでも皆気にせず喜んでいた。

第一三話「さくらとただいま苺鈴」も多くの香港人を喜ばせた。メイリンは再び香港から日本に来ており、広東語のメールが登場し、広東語のセリフもある。「喜愛日本　Like Japan」という日本の大衆文化や観光情報を紹介するFacebookページは、二〇一八年四月一一日にそれらのシーンを編集して一分間程度の動画を投稿した。その投稿は八七〇〇の「いいね」を得ている（二〇二〇年二月二五日時点）。今回も「広東語のメール」のみならず、「広東語のセリフ」まであるため、激賞と興奮を伝えるコメントが殺到した。

私はその動画を見て皆と同様に嬉しく思った。けれども、第一三話のフルバージョンを見て、以下の事実を見つけた。まず、メイリンはシャオランに再会する時に「你好啊小狼」と挨拶した。親友のような従兄に「你好啊」と言うのは極めて不自然で、これは突然親友に「初めまして」と言うのと同じである。

そして、メイリンはさくらの家に泊まることになり、二人（ケロちゃんもいる）は一緒に餃子を作って食べた。夜になって、シャオランはメイリンに「有冇麻煩到你？ 會唔會好怪？」という広東語のメールをした。日本語の字幕は「迷惑かけてないか？ 変わったことはないか？」となっているが、メールの文を訳すと、「君に迷惑をかけた？ 変じゃない？」になってしまう。広東語が間違っている。

またメイリンの返事のメールの文面で広東語の「下次」（今度）と「今次」（今回）の意味を間違えるミスをしていたり、物語の終盤のメイリンのセリフでも不自然な点が見受けられた。

以上より、「クリアカード編」の広東語の大部分が、物語の文脈から見て不自然で、間違っていることは明らかであった。それでも、Facebook 上で多くの人は喜んでいた。

「広東語はちょっと変だけど、香港らしさを入れてくれたから感謝して大喜びすべきだ」と彼らは思っているのだ。

しかし広東語のミスから考えると、香港の視聴者を喜ばせるというよりも、登場人物の設定に合わせて、日本国内の視聴者向けにちょっと異国らしさを入れようとしたというのが製作陣の本当の目的なのではないだろうか。

†『カードキャプターさくら』と目覚めた香港アイデンティティ

どうして香港の人は『CCさくら』に片思いをしているのだろう。それは、この「片思い」が、政治と社会の変化につながっているからだ。

『CCさくら』において、香港は香港として登場した。シャオランとメイリンは「中国からの転校生」ではなく、「香港からの転校生」であり、普通話ではなく広東語と英語を話す「香港人」なのである。この設定と、その関連シーンやセリフは現在の香港人にとってはとてもありがたいものなのだ。

特に注意すべきは、ここで語る「香港人」は主に、私を含めた、『CCさくら』に対して感情と記憶がある若者だということだ。つまり二〇〇〇年の「クロウカード編」と「さくらカード編」が放送された時に子供で、二〇一八年の「クリアカード編」の時点ですでに大人になっていた香港人である。

私たちの子供時代は、「返還」された初期で、中華人民共和国の香港に対する態度と行動はまだ比較的に「不干渉」であった。民主主義的な普通選挙はまだないが、香港の主体性は依然として健在であった。普通話の授業は一週間に一回しかなかったし、広州に住んでいるお祖母さんが香港に来るときは、ビザを取るような感じで時間をかけて事前の手続きをしなければならなかった。それに中央政府駐香港連絡弁公室のトップが誰かなんてことは誰も関心がなかったし、自分は何人《なにじん》かと考えたことも、何人になるべきだと言われたこともなかった。

しかし本書で今まで述べてきた通り、二〇一〇年代に入り、中国政府とその道具にされてしまった中国市民によって、香港は同化され続け、香港人は中国共産党のみならず、中国市民に対しても嫌悪感を持つようになった。そして香港の主体性が失われているということを香港人はようやく実感し、目を覚ましたのだ。

『CCさくら』への片思いは、この香港人の中国共産党／中国市民への嫌悪感、そして香港人としての目覚めと強く結びついているのである。

†香港の体・中国の魂

二〇一八年の「クリアカード編」における「香港」の表象の受容を見てみると、香港人はそれらの表象から自分の主体性を再び確認し、中華人民共和国への嫌悪感を表していたことがわかる。

前述の「喜愛日本 Like Japan」という Facebook ページで投稿された、第一三話の編集動画についた八五九件のコメントを見てみると、「素晴らしい~少なくとも普通話ではない！　香港人は普通話を話すと一部の日本人は思っているから。制作チームのお心遣いだね」（好好啊~~起碼唔係普通話!!~　有啲日本人以為香港人都係講普通話。製作組好有心啊）とコメントした人がいて、七九四の「いいね」を得ている（二〇二〇年二月二六日時点）。二〇一八年三月六日に同ページは第九話のメイリンの広東語メールのスクリーンショットを投稿し、「さくらの新アニメ　広東語のメール　制作チームによる完璧な演出　シャオランの香港人設定」（小櫻新動畫　廣東話手機訊息　製作組完美繹演　小狼香港人設定）と書いて、この投稿も二九〇〇の「いいね」を得ている（同前）。一四九件のコメントの中に、「シャオラン：俺は本当の香港人だ」（小狼：我係真香港人）というものがあり、これも約三〇〇の「いいね」を獲得した。

しかし、そんなふうに『CCさくら』に香港人が片思いをしていても、前述のように日本の制作会社はただ異国風味を加える目的しか持っていなかったと考えられる。たとえば、シャオランは漢字で「小狼」と表記するが、アニメでは「シャオラン」と呼ばれている。日本語の音読み「ショウロウ」でもなく、広東語の「シーウロン」(siu2 long4) でもない。「シャオラン」は「中国語」(中国大陸の標準語＝普通話・台湾の国語) の「xiǎo láng」に基づく発音である。メイリン (苺鈴) も同様に、広東語の「ムイレイン」(mui4 ling4) ではなく、「中国語」の「méi líng」に基づく。たまに自分の名前の英語表記を「中国語」に基づいてする香港人もいて、それで日本に来ると、日本語の表記が「中国語」に準じたものになる。しかし、広東語に基づく英語表記が一般的である。「シャオラン」「メイリン」という読み方の設定は、香港人の「片思い」には大きな皮肉であろう。

また二〇年前の「クロウカード編」の第一九話「さくらと夏休みの宿題」に初登場したメイリンが最初に言ったセリフが、中国語の「你好!」(ニーハオ) であったこともおかしい。シャオランとメイリンは香港からの転校生だから、広東語や英語で挨拶した方が一般的である (それに普通話において親友のような親戚に「你好」と言うのも不自然だ)。おそらく「クロウカード編」を制作する際、香港人が広東語でしゃべるという背景を知っている人が、制作チームに誰もいなかったのだろう。

そしてダメ押しなのが、シャオランとメイリンの極めて中華風な設定である。シャオランがカードを収集する際 (戦いに行く時) は、だいたい道士服 (道教を修める人が着る服装)

を着用し、剣、護符、羅針盤を使い、中国拳法も使用している。また、メイリンは長い髪を二つのお団子にしてチャイナドレス（旗袍）を着て、中国拳法や中国の北方の習慣である餃子づくりを得意としている。伝統的中華文化は香港文化を構成する重要な要素ではあるが、前述の様々な勘違いやミスを考えると、やはり制作チームが中国へのステレオタイプをそのまま香港に嵌めてしまったと考えられるのである。

3　日本アニメと香港政治

†『進撃の巨人』主題歌の替え歌

二〇一〇年代初頭、中国大陸からの来訪者の大量流入に伴い、転売目的で爆買いする「水貨客」（密輸と転売をする人。中国大陸の市民のほかに、香港市民もたまにいる）の問題が深刻になり、地元のコミュニティの日常、また香港の経済と文化にも影響を与えた。多様な中小企業や創意を凝らす産業の代わりに、不動産投資、保険、貴金属ジュエリー、薬局などの中国資本向けのビジネスが伸長し、また現代都市における生活秩序がしばしば破られるようになったのだ。むろん、香港を尊重する中国市民もいるし、個人を責めるより、政権の政治的な目的や財閥の恣意を批判すべきである。

ただし、香港人の不満は本物であり、感情の表現は行動につながり、政権に反対する力にもなる。ここにおいて、日本の大衆文化は意外に大きな役割を果たしている。前述の香港の若者の共通の記憶としての『ドラえもん』はもちろん、新しい作品も香港問題につながっていく。

『進撃の巨人』は日本で二〇〇九年から連載され、二〇一三年にアニメ版も放送され始めた。香港人も、言うまでもなく漫画やインターネットやテレビで『進撃の巨人』を楽しんでいる。特に音楽と映像があるアニメ版の迫力や衝撃的なシーンは話題になり、そして凶暴な巨人による小さな城への侵入、および自由を守る信念が香港人の共感を引き出した。

二〇一三年に、当時香港で人気であったインターネット・コミュニティ「高登討論区」の「音楽台」（音楽を中心とするページ）は『進撃の巨人』のオープニングテーマ「紅蓮の弓矢」を改編し、二次創作物の「進撃的蝗蟲 Attack on China」（蝗蟲＝イナゴ）を作った。再生回数は五五万回に達している（二〇二〇年三月三日時点）。

この曲の動画の冒頭では、超大型の巨人が初登場し城内の市民が恐怖するシーンを使いながら、「この日、香港人はようやく目を覚ました。自分が「中国と香港の融合で繁栄を続けよう」という世紀の詐欺の中にいると気づいた。自分の家が占領される恐怖、および自分の資源が奪われる屈辱を見つけた」と語られている。超大型の巨人の背中に中国共産党を代表する「鎌と槌」が付いていて、皮膚がなく赤い筋肉の巨人の身体が中国共産党の党旗に見立てられている。

そして曲が始まり、「イナゴの侵入はこの都市を腐食していく／恥知らずの十億によって侵攻／尊重知らず／壊していく生活／偽りの経済／横暴に尊大／主人気取りで真理を歪む」「中国共産党に抵抗し汚れを拭く」「香港を守るのは運に頼らず／人権と自由は良心で救う／未来にはヒューマンバリューがある」「絶望の中で反撃し、鬱憤を晴らす／この戦いで皆一心に／香港を復活させよう」と歌う。

動画の途中で、中国大陸からの来訪者やイナゴのカートゥーン、中国共産党の「鎌と槌」、当時の行政長官である梁振英の写真があり、一九五九〜九七年に使われた香港旗（左上部は英国のユニオンフラッグで、右中央には香港の紋章）と女王エリザベス二世のシンボルもしばしば登場する。以上のような歌詞や映像により、この曲は中国の脅威にさらされている一部の香港の視聴者に、大きな共感を喚起した。

†ヘイトスピーチなのか？

この二次創作物を見れば、抵抗感をおぼえ、差別やヘイトスピーチなのではないか、と思う読者の方もいるかもしれない。正直、私もこの曲を積極的に紹介したいというわけではない。けれども、香港人の精神史としても、日本アニメの香港での受容という点でも、取り上げて分析する価値があるものだと考える。

一九九七年から二〇一四年の間、人口約七〇〇万人の香港に移民（これは国内の移住というよりも、他国の選挙権、永住権、厚生福祉、就労資格、義務教育を獲得する移民に相当）してきた中国市民は約一〇〇万人である。またそれに約二〇万の「双非」（両親は香港市民ではないが、自分は香港で生まれ、香港の永住権を得られる人たち）もいる。さらに二〇一二年に中国大陸からの来訪者は延べ三四〇〇万人に達し、国・地域別の来訪者の全体数の七〇パーセントを超えた。二〇〇二年は延べ六八〇万人だったので、つまり一〇年間で中国大陸からの来訪者の増加率は四〇〇パーセントに達したのである（香港特別行政区政府統計処『香港統計年刊　二〇一三年』）。日本を例にするならば、この数字は人口の一四パーセント、つまり一六八〇万の移民がある一つの国から日本列島に来て、さらにその国からの訪日客が年間延べ一億一六〇〇万人から延べ五億八〇〇〇万に増えたということだ。この事態になったならば、日本の国民はアニメの曲を改編して「イナゴ帰れ」と叫ぶだけでは済まないだろう。

「進撃的蝗蟲 Attack on China」で、作詞者たちは、ピントを合わせて中国共産党の政権を風刺して批判する一方、中国大陸からの来訪者に平素の不満を漏らし、コントロールできない新移民の流入に対する鬱積をぶちまけている。そして香港の自由と価値観を守ろうと呼びかけている。このような二次創作物は民衆の修辞であり、呪詛であり、感情と思考を表現する方法の一つである。これを、政権の暴力の下にあって権力を持たない民衆による修辞と呪詛として理解せず、ひたすら「差別」や「ヘイトスピーチ」だと簡単に片づけてしまうのは危険である。

たとえば二〇一九年の社会運動では、デモ隊からよく「黒警死全家！」(黒い警察の家族全員死ね)という呪詛がよく聞こえていた。この言葉を日本人は極めてひどいものと感じると思うが、そもそも香港の広東語には「冚家剷」や「冚家富貴」(家族全員死ね)という罵り言葉や、よりひどい悪口がたくさんある。それを聞いて、すぐ「家族も死ねなんて」と連座(集団罰)の弊害を取り上げたり、国際法を引いて人権を尊重しようと論じたりするならば、それは滑稽であり、理性的でも偏っていると言える(ただし個別にメッセージなどで警察官本人やその家族に言うならば脅迫罪になるかもしれない)。

逆に警察が市民を侮辱するために使う「ゴキブリ」という言葉を、「民衆の修辞と呪詛」と見てはいけない。警察は政権の暴力装置であり、手元の軍事用武器で市民を恣意的に襲撃するのである。

もちろん、「進撃的蝗蟲 Attack on China」のような二次創作物のメッセージに影響を受けて本当に新移民を差別してしまう人がいる可能性も否定できない。ただ実際には、二〇一二、一三年頃、上水という中国との国境に近い地域で起きた「光復行動」では、新移民ではなく、転売目的でやって来た「水貨客」に焦点を合わせてデモが行われた。たとえ多くの本土派や独立派と見なされる政党や組織でも、ヨーロッパの右翼のような排外主義や差別的な主張はせず、ただ各自が唱える形式（自治や独立など）で香港の主体性を守ろうとするのである。

現在二〇代、三〇代の若者の親や祖父母の世代は、中国大陸出身者が多く、中国生まれの若者も少なくない。禁錮六年の実刑を受けている本土派・独立派の政治家で、一九九一年生まれの梁天琦も大陸出身である。執政できる政党に発展してファシズムになる欧米主権国家の右翼が高速道路の暴走族であるとするならば、自らの主体性さえ守れない香港の「右翼」はただのカタツムリである。高速道路で移動すれば、いつはねられてもおかしくない存在なのだ。

†原歌詞との一致

「進撃的蝗蟲 Attack on China」で中国共産党を巨人に喩え、香港人を城内の人間に喩えられたのは、物語の最初の頃で、謎がまだ豊富にあり、自由に解釈できたからだ。『進撃の巨人』の物語が進むにつれて、香港の状況を簡単に置き換えられなくなってきた。

現実と物語との置き換えは難しくなってきたが、主題歌はそうではない。「進撃的蝗蟲Attack on China」の歌詞は、原曲の「紅蓮の弓矢」に対応しているというよりも、ところどころはそのまま翻訳したものなのである。つまり原曲の歌詞はそもそも「高登音楽台」の作詞者たちの考えや気持ちを反映しており、視聴者の共感も引き起こすものなのだ。最後に原曲の歌詞と改編されたバージョンの歌詞を対照して見てみよう。（　）内が「進撃的蝗蟲Attack on China」の歌詞である。

祈ったところで、何も変わらない（香港を守るのは運に頼らず）
今を変えるのは、戦う覚悟だ（絶望の中で反撃し、この戦いで皆一心に）
家畜の安寧、虚偽の繁栄、死せる餓狼の「自由」を！（偽りの経済、人権と自由は良心で救う）

広東語の音声とメロディーが合致する必要があるので、改編バージョンの歌詞が原曲の詞に一句ずつ対応しているわけではない。けれども、絶望感、祈りより行動という点、戦うこと、一時の安定と繁栄のための自由の犠牲などのメッセージは一致している。

†『デジタルモンスター』と正義

面白いことに、場合によって「紅蓮の弓矢」のように改編されず、アニメの主題歌の歌詞（公式広東語バージョン）がそのまま人々に利用されることがある。

二〇一九年八月六日に香港バプティスト大学（Hong Kong Baptist University＝香港浸会大学）の当時の学生自治会会長であった方仲賢は深水埗《シャムスイポー》（電気製品などが有名）で警察に逮捕された。理由は、彼が持つ、一〇本のレーザーポインターが「攻撃用武器」だと思われたことである。七日に警察は記者会見を開き、レーザーポインターの危険性を証明するために「実験」をした。警察官はレーザーポインターを、そこから二メートル内にある新聞紙に、動かさず一〇秒当てたのだ。すると、新聞紙から煙が出て、燃えそうになった。

人々は七日の夜に「星空観察」の名でデモを行った（香港でレーザーポインターの別名は「観星筆」である）。彼らはそれぞれ自分のレーザーポインターを持ち、尖沙咀《チムサーチョイ》にある香港スペース・ミュージアムの外に集まった。そしてレーザーポインターをドーム型のミュージアムの壁に当てたのだが、これはまるで巨大なメロンパンを焼くお祭りみたいであった。もちろん、「メロンパン」は温まらなかった。途中、誰かが音響機器を持ってきたのであろう。『デジタルモンスター』の広東語テーマソング「自動勝利　Let's Fight」（原曲：「Butter-Fly」）が流れて、皆が自然に子供時代から覚えてきた歌詞を思い出して歌い始めた。テンションがとても高かった。

この他にYoutubeでも「自動勝利　Let's Fight」に基づく二次創作物のミュージック・ビデオが投稿され、Facebookでシェアされていた。そのビデオの歌は、そのまま「自動勝利　Let's Fight」であったが、映像は二〇一九年六月以来のデモのシーンであった。「自動勝利　Let's Fight」という児童向けのアニメソングがなぜ社会運動の行動、宣伝、動員につながったのだろうか。歌詞を見てみよう。

越搏鬪戦意便高企（戦えば戦うほど闘志に燃える）
自信碰跌了又再起（自信を持って倒れても立ち上がる）
堅決相信　為戦友我定必勝利（戦友のために私は必ず勝つと信じる）
（中略）
來全情Go…Go…Go…Go（気合いを入れよう）
只要出手気勢勁到飛起（戦うと勢いが半端ない）
来全情Go…Go…Go…Go…Go（気合いを入れよう）

大力捍衛理想　自動会　部署準備（頑張って理想を守る。自動的に準備をする）
遇怪魔我即刻変大個（モンスターに出会うと私は大きくなる）
遇見高手痛快得多（すごい人に出会うともっと痛快だ）
一激起我就有火（怒られるとすぐ燃えていく）
盡快盡快辨勝負（早く勝負をつけよう）
亦不必想再拖（引き延ばしたくない）
最好的必須再練過（最も良いものは何回も鍛えられたものだ）
逐個反撃対方一個二個（相手に反撃、ひとりずつ）
我但求全撃破（全部を撃退するように）
Oh Let's Fight（戦おう）

二〇一九年の社会運動で、政権の暴力に直面した市民にとって、香港の状況は「黄」（民主派）と「青」（親中派）の対立ではなく、「白と黒」、つまり「正義と邪悪」の対決であった。正邪がはっきりしている日本アニメ、特に『デジタルモンスター』のような小学生向けのアニメは現実に置き換えやすいのである。

むろん、残酷な現実と複雑な国際政治が、決して子供向けアニメのようであるわけではないということは、命をかけてデモに参加した市民にはわかっている。ただ、不安を慰める飴のような存在、絶望の中で少しでもテンションを上げるものとして、皆の共有する記憶の中から探し出したこの曲を再生しただけなのだ。この曲を聴いたためにわざわざ催涙ガスを嗅ぎに行ったり、目を銃で撃たれたり、殴られたりしに行くバカはいない。

共感を引き起こせることは大切であり、アニメソングで歌われる闘志や勇気や夢や愛は社会運動の理念に一致する。特に日本アニメが仲間との「絆」を強調する点が、皆の心に響く。二〇一九年の社会運動で、参加者は「手足」(兄弟のような大事な仲間)と互いに呼びあった。顔さえ見たことがない人(デモの現場では皆だいたい、ヘルメット、保護メガネ、防毒マスクを着用している)と一緒に戦って、助け合う。香港のために自分の勉強や仕事や家族を犠牲にした人や、命を捨てた人もいる。だから「戦友のために私は必ず勝つと信じる」と心の底から歌えるのである。

一方、香港史上初めて、「勇武」という精神・行動が広く認められ、行動の目的次第で、特定の場所を破壊したり、占領したり、やむを得ない場合は武力を使って相手に反撃したりすることが許されるようになった。「勇武」はまさに多くのアニメのイデオロギーである。『デジタルモンスター』のように、平和的に敵と話し合う余地はない。命のために自分の信じる正義の旗を振って戦闘するのは暗黙の了解である。

しかも『デジタルモンスター』の設定といえば、デジタルワールドに飲み込まれた小学生たちは運命に選ばれた人間であった。元の世界に戻れるように、デジタルワールドの歪みを修正するため、彼らは戦い続ける。物語でそれらの小学生たちは「選ばれし子供達」と呼ばれていた。二〇一九年の社会運動の最も広く使われたスローガンは「光復香港　時代革命」（香港を取り戻せ　時代の革命だ）である。なぜ我々の時代なのか？　なぜ我々なのか？　と社会運動の主力と言える若者たちは問い続け、自分も時代に「選ばれた」のではないか、と冗談半分で言うのである。

第5章　日本イメージの変容とアイデンティティ

1　大日本帝国の記憶

†韓国ドラマと日本という他者

二〇一九年末より、韓国ドラマ『愛の不時着』(사랑의 불시착)が放送されはじめ、韓国国内の他に、香港や台湾などでも人気となり、日本でもNetflixで配信が始まった。『愛の不時着』は、パラグライダーの事故で、北朝鮮に不時着した財閥の娘が北朝鮮の総政治局長の息子である将校と出会って展開される北朝鮮と韓国を舞台としたドラマである。物語の典型的な要素——ヒーロー、美人、ドラゴン(敵役)、脱出——によって構成されているが、北朝鮮と韓国との経済的・文化的な差によるタイムリープ系ドラマのような面白

さがある作品である。

第一三話で、ソウルに潜入した将校の部下たち（白雪姫の周りにいる小人たちのような役割）の次のようなシーンがある。彼らはチェーンのチキン店で晩御飯を食べていたのだが、店内の客が皆テレビでサッカーの国際試合を観戦している。あまりに騒がしいので、部下たちのひとりが、サッカー観戦より自分の任務に集中しようと言った。しかし、それは「韓日戦」だ、ともうひとりが緊張気味に伝えると、この北朝鮮のスパイたちは突然自分の立場や任務を忘れ、周りの韓国人と団結して日本に立ち向かうようになり、ゴールした時には一緒に興奮して大騒ぎをした。

昔の日本は台湾、朝鮮半島、満洲などで植民地支配をし、中華民国、英領香港、東南アジア各地に侵略戦争を起こした。現代的制度、農業と産業の基礎、技術、インフラの整備などの遺産もあるが、他国への圧迫や戦争中の平民の虐殺、強姦・輪姦を含む性暴力などの歴史も作った。現在の日本はしばしば、一部の台湾人にとってノスタルジアの対象となっている一方、朝鮮民族にとってはしばしば他者となっている。

香港の場合については次章で詳しく論証するが、本章では導入として、戦後香港の大衆文化や民間の怪談や文学を通して「香港人のアイデンティティの中にある日本」を紹介したいと思う。

†香港カンフー映画の民族意識と卑怯な「日本」

中華人民共和国は一九四九年に成立した。それに対して、イギリスは共産主義の拡大と香港への浸透を防ぐために、香港の国境の管理や身分登録を整え、それからの三〇年で、香港のポリス（都市国家）としての「国柄」が徐々に形成されていった。香港で育った人は「中国人」であるが、大陸の中華人民共和国、あるいは台湾の中華民国の国民と異なる制度と環境下で生活してきたのである。香港人は、「中国人」というより、「中華系」や「華人」と言ったほうが誤解を招きにくいかもしれない。

とはいえ、制度と環境が違うといっても、共通の記憶はある。それは、大陸、香港、台湾の華人（特に戦後に大陸から台湾に行った外省人）、および世界各地に散って行った華人の家族史につながる大日本帝国をめぐる記憶である。むろん記憶は膨大であり、選択されて、それぞれ忘却されたり、記憶されたりする。華人向けの多くの大衆文化において繰り返し想起されるのは、大日本帝国の中国に対する圧迫である。その歴史を踏まえ、脚本家や監督や制作会社は市場の需要に応じて創作し、編集された記憶を商品として売る。これらの作品で、日本はどのように描かれていたのだろうか。

一九七二年の香港映画『ドラゴン怒りの鉄拳』（精武門）に名シーンがある。二〇世紀の初頭、主人公チェン（ブルース・リーが演じる）は、自分の師匠である霍元甲の急な死（のちに日本武術の虹口道場の師範である鈴木に毒殺されたことが明らかになる）を聞いて上海の「精武門」道場に戻った。通訳のウーと虹口道場の門下生二人は霍元甲の葬儀で「東亜病夫」（東アジアの病人）の扁額をチェンたちに渡して挑発した。その後、チェンは耐えられず虹口道場に行き、一人で数十人の日本人を倒して、「中国人は病夫じゃない！」という名言を残す。

このような、中国人が卑怯な日本人を倒すという物語の公式は、香港や海外の華人の民族意識を満足させる。よって時代が下って二〇〇六年の『SPIRIT』（霍元甲）や二〇〇八年の『イップ・マン　序章』（葉問）に至っても、同じ公式が用いられている。『SPIRIT』の田中安野（中村獅童が演じる）や『イップ・マン　序章』の三浦（池内博之が演じる）のような人間性がある日本人も出てくるようになったが、映画自体は依然として日本の帝国主義への批判で、民族意識を充足させるものだ。霍元甲は日本人に毒を飲まされても立ち続け、田中と最後まで戦う。イップ・マンは一人で十人の空手有段者の日本人を倒しても、賞としての米を取らず、名前を聞かれても「僕はただの中国人だ」と答えた。つまり、「帝国主義の圧迫の下での、人格の優れた中国人対圧迫者である卑怯な日本人」という公式はまだ通用しているのだ。

†香港の怪談と日本軍

大日本帝国の圧迫者イメージはカンフー映画に登場するのみならず、民間で語られる怪談にもしばしば見出すことができる。小学生や中高生の頃、子供が自分の学校で起こった怪談をすると、内容はそれぞれ違っても最後はよく「実は昔、私たちの学校は日本統治時代の集団墓地だったんだ」、あるいは「昔、ここは日本軍の病院だったんだ」と語ることになる。そして聞き手は、なるほど、と納得するのである。

香港の図書館で調べてみたところ、怪談の本には、過去の殺人事件や事故の他に、日本軍や日本統治時代の話がやはりよく出てくる。これは一つの系譜だと言えるだろう。怪談の舞台は、郊外の新界にある元朗百鳥塔、屏山、洪水橋、香港島の都心部にある湾仔の南固臺、中環の終審法院大樓、金鐘、上環、団地である華富村、重要な要塞であった鯉魚門、山間部の摩星嶺や島であるラマ島、あとは達徳小学校、玫瑰崗学校、聖士提反書院などの学校である。

それらは、戦時中に日本軍の宿舎や施設とされたり、殺された村民の集団墓地とされたり、あるいは戦争犯罪が起きた場所である。現在では南固臺や終審法院大樓などは公式に認められた文化遺産であり、博物館化された鯉魚門（海防博物館）や歴史ツアーが行われている聖士提反書院も確実に日本の侵略の歴史を残している。怪談では、「慰安婦」や虐殺、空襲（日本軍の拠点に対する連合国の攻撃）、捕虜などを背景として、日本軍の基本教練をする兵隊たちの分列行進の声が聞こえる、日本軍の幽霊が現れる、というような現象が、生き生きと描かれている。日本の帝国主義の記憶が現在にまで、怪談で受け継がれているのである。

†怪談より恐ろしいテレビ番組

最近のＴＶＢ制作バラエティ番組やドラマにもまた、日本占領時期をテーマとしたものが多くある。たとえば二〇一四年の『区区有鬼故』（各区にも怪談がある）の第一話は「湾仔東城戯院猛鬼事件」（湾仔の東城映画館の怪談）であり、番組ウェブサイトには「密集市街地である湾仔は、日本軍が中国に侵略する時期（原文：日軍侵華期間）の一つの重要な戦場である。当時の死亡者数は数え切れないほど多く、様々な怪談が伝わる」とあらすじが書いてある。

物語は怪談として特に斬新なものではなく、普通に日本軍をテーマとするものだったが、実はこのウェブサイトにあった「日軍侵華」という表現が怪談自体よりも恐ろしいものである。当時の香港はイギリスの植民地であり、日本の香港に対する進攻は、「華」つまり

「中国」というより、むしろ英領香港に対する行動であり、英軍やカナダ軍との戦争は「香港戦」（香港では「香港保衛戦」）である。占領期間中、湾仔の日本軍を空襲したのは、連合国の軍隊・米軍であった。適切な言い方は、「香港保衛戦の時」あるいは保衛戦が終わって香港植民地政府が降伏してからの「日本占領時期」である。「日軍侵華」という表現だと、香港の歴史の主体性を抹殺して、香港を膨大な中華民族の物語に溶け込ませるのと同様である。

このような間違いはおそらくミスではなく、親中派と見なされるテレビ局による記憶の歪曲であった。同様のことはその後にも起こっている。二〇一五年八月二三日にTVBはドキュメンタリー番組『星期日檔案』を放送した。そのテーマは「抗戦印記七十年」で、途中、一九三八年の戦役を説明する際に画面に映った国旗は、中華民国のものではなく、当時まだ成立していなかった中華人民共和国のものであった。二〇一四年の『区区有鬼故』のあらすじは、TVBが公然と歴史を改竄した前例だったと言えるだろう。

また二〇一九年のドラマ『十二伝説』の第一七～一九話は「抗日達徳学校殺人事件」（日本に抵抗する達徳学校における殺人事件）であった。この物語は、元朗の屏山の達徳小学校（現在は廃校）という実際に怪談で話される場所を舞台としてストーリーを展開する。高校の男子学生たちが、日本軍の幽霊に取り憑かれた、と嘘をつき、殺人、いじめ、薬物を使用した集団の性犯罪をするという物語で、そこでは『ドラえもん』の各登場人物の名前が恐ろしい犯罪の加害者と被害者に付けられている。

このように近年TVBのドラマは低劣で、イギリスの『ブラック・ミラー』(Black Mirror)のようなダークで深い作品を作るわけではないし、NHKの「ドラマ10」シリーズと比べても、「毒入りインスタントラーメン」と懐石料理ぐらいに内容のレベルに差がある。TVBの制作チームはなぜこのような「作品」を作ったのだろうか。なぜ古い怪談に新しい犯罪の刺激を入れて戦争記憶に加味するのだろうか。

死んだ者はもう悪いことをしない。だが、彼らの骨を土の中から掘り返してスープを作る人は少なくない。そのスープを、知らないうちに、十万、百万、一億の人が毎日飲んでいる。これこそ、本当の怪談である。

2 知日派から新知日派へ

†戦後知日派――中国人として日本を語る

一九七〇年代、尖閣諸島(香港では釣魚台と言う)の領土主権問題に対し、当時の香港の若者は釣魚台を守ろうとデモや宣伝や講演会などを行ったり参加したりしていた。その一連の社会運動は「保釣運動」と呼ばれる。当時、中国大陸の中で何が起きていたのかもあまり把握できないまま、「保釣運動」から中華人民共和国への憧れ、中国共産党への擁護に転化する勢力がある一方、政権と距離を置いて、あるいは批判して、自分の理想的な「中国」に関心を持つ人も少なくなかった。どちらにせよ、若者たちは戦争の記憶を喚起しながら釣魚台の主権を擁護し、日本の軍国主義の復活を警戒しようと呼びかけていた（これについては次章で詳しく論じる）。同様に「日本」によって中国民族意識が高揚するメカニズムは、文学作品にもしばしば現れる。

教育家、研究者、作家である小思（本名：盧瑋鑾、香港生まれ、一九三九年～）とその一部の作品はそのメカニズムの代表例である。中国民族意識と香港アイデンティティを同時に持つ小思は、「国家」に強い責任感を持ち、誰よりも中華文化、中国の歴史、文学を大事にしている。現在の若者と、アイデンティティの傾向や言い方、責任感を持つ対象などは違うかもしれない。しかし彼女は普段政治の話をしなくても、やむを得ない時には堂々と発言する。このような思考の深みと批判力と責任感を持つ方が書いた作品からは、人間性が感じられる。

一九七一年に小思は初めて日本に旅行に行って、七三年に京都大学に一年間の留学をした。その経験により、日本は長年の間、彼女の作品の題材の一つになっている。特に一九八二年出版のエッセイ集『日影行』と二〇一六年の『一瓦之縁』は日本をテーマとしている。とはいえ、小思は日本を語っていても、本当に関心を持っているのは「中国」であるからだ。「私が関心を持つのは、自分の国が近代において長年、日本に侮られ侵略された歴史と、自分の国がいかに頑張るべきか、いかに改善すべきか、という問題である」と小思は言う(香港中文大学、二〇一六)。彼女は戦争、靖国神社から、東寺、川端康成、神保町、『舟を編む』、漫画まで、どれを語っても、考えているのはやはり「中国」のことなのである。

実は「中国のために日本を理解する」というのは近現代の中国知識人の伝統だといえる。特に、中国共産党政権が統治する中華人民共和国から離れて香港で新亜書院を創立し、のちに香港中文大学の成立に貢献した一部の知識人たちは、その伝統を次の世代に伝えている。

たとえば現代中国の著名な思想家で新儒家の代表的学者である唐君毅(一九〇九〜七八年)は、小思が尊敬する彼女の師である。新亜書院を卒業して中学校で教えていた小思が京都大学に留学に行ったのは唐のアドバイスによるが、唐自身も、目の病気を治すために日本に行って、当時学生であった譚汝謙(一九四一年生まれ。香港の日本研究、特に日中関係の研究に影響を与えた著名な研究者。同様に新亜書院出身で、唐などの知識人の影響を受けて京都大学に留学し、日本研究を展開した）に何回も「退職した後は京都に移住したい」と言ったそうである。譚に「日本語ができなくて定住するのは不便ではないか」と聞かれ、「日本に来るのは、故郷に帰ったようだ」と唐は語ったという（国立台湾大学政治学系「中国大陸及び両岸関係教学研究センター資料」より）。

唐が言った通り、日本は中国人にとって、警戒しながら学ぶべき国であるのみならず、ノスタルジアの対象でもある。香港で生まれ育った小思は初めて日本に行った時を思い出してこう語った。「祖国（中国大陸）に行ったことがない中国人は、詩と詞で祖国を理解するしかない。日本文化の雰囲気の中で、自分が読んだ中国の詩と詞の、風景、感情、すべてが目の前に現れた。衝撃を受け、まるで水の中に投げられ、無数のさざなみが起きたようだった」（香港中文大学、二〇一六）

七〇年代にはまだ開放されていなかった中国大陸に行くより、日本に行くほうが簡単だった。小思は実際の「祖国」はどのような様子か知らなかったが、古典文学から「祖国」を理解して想像していた。彼女を驚かせたのは、日本が古代中国の影響を受けて現在まで唐代のような建築スタイルや環境を保存していたことである。他国、さらに敵国だった日本で自分が愛し想像していた「祖国」を見つけた彼女には、相当な衝撃だったのだろう。

特に第二次世界大戦を経験した世代にとって、警戒すべき日本にせよ、懐かしく思う日本にせよ、日本は彼らの中国民族意識を喚起する装置である。しかし、香港で語られ続ける「日本」はつねに変化しており、それは香港の人々のアイデンティティの変容に対応している。

†欲望の日本と香港のポリス時代

香港市民にとって、「日本」は、ただの戦争の代名詞ではない。釣魚台、靖国神社、歴史教科書問題などの話題が特定の時期と場合に出てくるものだとするならば、日本の漫画、アニメ、観光、美食、百貨店は香港人の日常に近いのである。特に一九八〇年代、香港のポリス（都市国家）時代の最盛期に、「日本」は香港で、インフラの建設や、貿易、金融などで活躍する他に、豊かになってきた香港市民の欲望を満足させた。三越（一九八一年）、ヤオハン（一九八四年）、そごう（一九八五年）、ジャスコ（一九八七年）などの百貨店が相次いで香港で開業し、また一九八〇年代末までにキャセイパシフィック航空やドラゴン航空や日本航空などによって、香港と東京、大阪、名古屋、鹿児島間で複数の航路が運航されるようになったのだ。

一方、一九六〇年代後半から七〇年代に入り、香港で日本映画の人気は一般には衰えたが、小津安二郎、黒澤明、山田洋次などの監督が作った芸術性が高い作品は香港電影文化中心（香港映画文化センター、一九七八年設立）などで上映され続けた。同時に八〇年代には、日本から輸入されていた映画は主にポルノ映画になった（舒、二〇〇二）。呉偉明は、日本のポルノ映画は欧米のものより大胆ではないが、エロチックと誘惑の程度が高く、アジア人の顔と体も香港の観客の好みに合う、と分析した（呉、二〇一五）。

ポルノ映画といえば、言及しないといけないのは、香港の「四大才子」の一人である蔡瀾（一九四一年〜）である。彼は若い頃日本に留学し、映画界や飲食業で活躍し、一九九〇年代に日本のポルノ女優を香港の映画に出演させた。彼が出品した『聊斎豔譚』（一九九〇年）の興行収入は一〇〇〇万香港ドルを突破した（湯、二〇〇七）。

ポルノ映画だけでは「才子」になれない。蔡瀾は美食家・旅行家として多くのエッセイを書いた。日本をテーマとした本は一九八六〜九〇年の間だけで三冊ある。彼は小思のような伝統的な文人と違い、戦争の記憶や「中国」への抱負より、日本を主題として、日本各地の美食を味わう心得、日本の工芸、庶民の生活文化などを香港の読者に紹介した。

†『望郷』

香港のポリス時代の最盛期において、「日本」は「中国人」の他者とされたり、香港人の欲望の化身とされたりしたが、一方で名監督の作品では政治的比喩の道具にもされていた。許鞍華《アン・ホイ》（一九四七年〜）が一九八二年に監督した映画『望郷』（投奔怒海）の主人公は芥川汐見（林子祥が演じる）という日本人である。芥川は左派のジャーナリストで、ベトナム共産党政府に招待され、現地に取材に行った。政府当局の手配により、芥川は最初は幸せそうなベトナムを目にしたが、徐々に子供や女性の飢餓、売春という現実や独裁政権の圧迫がわかってくる。そして芥川は、現地で知り合ったベトナム人の少女と彼女の弟を脱出させようと試みる。

　なぜ主人公が日本人なのか？　許と日本との絆（一五、一六歳まで自分の母が日本人である事実を知らなかった）もその理由かもしれない。しかし、それ以上に、一九七〇年代の香港や日本には共産主義に好感を持つ若者が少なくなかった一方、香港は一九九七年の主権問題に直面していたことを描くため、ということが理由として考えられる。許は『望郷』で、過去を反省すると同時に、将来についての示唆も与えていたのだ。自由なポリスである香港と共産党政権が統治する中国との折り合いはどうなるのかと考えながら、香港人の不安と共産党政権への恐怖をこの映画で描いたのではないか。そこで、日本と香港の入れ替えは、過度に政治的に捉えられることを避ける効果を果たしたのである。[5]

†新知日派——香港人として日本を語る

二〇〇〇年代に入り、新たな知日派が活躍し始めた。彼らはラジオ、書籍、ブログ、Facebookなどを利用しながら日本を語り続けた。過去の知日派と違い、新たな知日派が関心を持つテーマは、「中国」や戦争や軍国主義の復活、あるいは日本の美食や観光などではなかった。彼らはより深く、日本の社会現象や最新の大衆文化に関心を持った。オタク、援助交際、オウム真理教、阪神大震災、新世紀エヴァンゲリオン、AKB48、東日本大震災……エンターテイメントからニュースや日常的話題にまで及ぶ数えきれない事象に彼らは関心を持った。

新しい知日派のもう一つの特徴は、しばしば、香港人として香港のために日本を語るということである。

この語りには様々なパターンがあるが、たとえば日本との対照によって香港の政権を批判するものがある。たとえば、二〇二〇年三月六日、つまり新型コロナウイルスの大変な時期に、香港中文大学の教授で徳川思想史や初期近代中日文化交流を専門とする呉偉明（一九六二年〜）は自分のFacebookページ「知日部屋fb」で、産経新聞による「自衛隊マスク一〇〇万枚民間へ」の記事をシェアし、「日本の自衛隊は自分のマスクを民間にあげる。香港の警察は?!」と語っている。前章でも述べたが、二〇一九年のデモで警察は暴走し、そのため現在でも多くの香港人に「家族全員死ね」と呪われている。さらに、二〇二〇年二、三月に香港の公立病院のマスクの在庫が少なかった時、市民がなかなか買えない状況で、警察には各政府部門の中で一番多くのマスクが配られたそうだ。呉の投稿は、まさに香港を日本と対比して香港警察への不満を表したものだと言えるだろう。

また、日本を語ることによって香港市民の素行について反省したり、参照を提供したりするものだ。作家、大学講師、ラジオパーソナリティである健吾(本名:葉鍵濠。一九八〇年〜)は二〇一五年三月五日に自分のFacebookページでこう述べている。「香港人は香港で不動産投機をして値段を高めてしまった大陸人をクソだと思っているが、その一方で自分は東京で不動産投機をする。お金だぞ! 稼げるのに稼がないのか? 稼いでおくよ」。健吾は普段、政権を批判すると同時に、香港人の欠点も容赦なく批判する。知日派である彼はよく日本に関する話題で香港人を風刺する。

このようなパターンの他に、普段、中国政府の問題発言や、日本にいる中国人の観光客の迷惑行為などを、新知日派はつねに自分の知識を活かして批判する。

注意してもらいたいのは、「知日派」は香港を語ったり中国政権を批判したりするためにわざわざ日本の話題を利用しているのではないということだ。「知日派」という肩書きと無縁である私もまさに日本を話題にしながら香港を語っている。けれども、わざとではない。日本に興味があって、ある程度日本語ができて、しかも香港出身である。それらの条件がある上で、自然と日本を香港と比較したり、日本を取りあげたりしているのだ。

それでは、なぜ戦後から九〇年代まで、この新知日派のような人たちがいなかったのか？　まず、香港アイデンティティが今より顕在化していなかったということが挙げられる。自由で豊かな生活を送っていたから、自分は何人《なにじん》かをそこまで気にしなかったのだ。しかし現在は違う。中国の香港に対する同化が日々ひどくなってきている。自由が徐々に失われ、香港の主体性も飲み込まれてしまってきている。それに対して、香港アイデンティティが強化され、中国政権への嫌悪が増加している。それらの気持ちは、本書でここまでみてきたように香港の大衆文化やSNSや二次創作物や書籍などで表現され、また日本の表象もともに変化してきたのである。

†野球映画『點五歩』

二〇一六年に公開された『點五歩』（Weeds on Fire）という映画がある（脚本は陳志発・黄智揚、監督は陳志発）。この作品は日本で上映されていないし、香港人に聞いても知らない人が多いと思うが、香港映画発展局の支援を得て、わずか二〇〇万香港ドルの予算で製

図5-1　『點五歩』DVD（発売：Panorama、著者撮影）

作され、四六〇万香港ドルの興行収入を達成した。同年に上映された六一本の香港映画の中で、興行収入ランキングの一六位を占めた映画である。

　この作品は現実をもとに脚色されている。舞台は一九八〇年代の香港である。沙田にある偏差値が極めて低い高校の校長が素行不良の生徒たちをしつけるために、沙田区の高級公務員（二〇〇五〜一二年の行政長官曾蔭権がモデル）から資金を勝ち取って、香港初の少年野球チーム（現実にはメンバーは小学生だった）を設立した。

　この作品には、劇中に繰り返し登場する、重要な象徴が二つある。一つ目は、庶民が地道に頑張って香港の繁栄に貢献した、という七〇年代からの精神・信念を代表する獅子山（ライオンロック）である。一九七二年から香港電台（公営テレビ・ラジオ局）制作の『獅子山下』（ライオンロックの麓で）という写実ドラマシリーズが放送され、主題歌はドラマと同名の「獅子山下」であったが、現在、大規模な社会運動で市民はしばしば「獅子山下」を歌ったり、獅子山の山頂で巨大な垂れ幕を下ろし、「私は真の普通選挙を要求する」（我要真普選）や「保衛香港、Fight for HK」などの目標を示したりする。獅子山の象徴性は、明らかであろう。

二つ目の繰り返し示される象徴は、雨傘運動の現場である。映画の冒頭のシーンは獅子山であるが、その次のシーンは二〇一四年の金鐘の干諾道中と夏慤道、つまり政府庁舎の外の、雨傘運動による占領区である。主人公はテントの並んでいる高速道路を歩き、「僕はここにいる皆と同じで、負けたくない。もう忘れるところだった。この負けたくない感じを」と語るのだ。

二つの象徴から見ると、『點五步』は野球を題材として、民主化デモに敬意と共感を表しながら、香港への愛と帰属感を表現する映画である。

†香港アイデンティティと「鬼子」から解放される日本

さて、この『點五步』は香港映画における「日本」という表象にとって画期的な作品であった。作品の二つ目の大事なポイントは、野球の比喩と日本の役割である。少年たちが野球の試合を行う場所は獅子山の麓にある野球場である。野球は香港ではあまり人気がなく、ルールがわからない人も多い。映画で説明される一つの基本的な概念は、球を投げる人は守備側で、バッティングをする人は攻撃側、という日本人には当たり前のことである。

決勝戦で、獅子山の麓で、香港対日本、つまり初心者対世界トップの強豪という試合が行われる。野球は、球を頑張って投げ続けると失点しない、つまり守り続けるのが大事なスポーツだと言える。この作品の香港チームの戦略も、主人公が球を必死に投げ、チームを守り続けるというものだった。諦めない、「勝負はこの半歩次第だ」と、校長は練習している主人公の投球フォームを調整し、足をもう少し前に出そうとする時に言うのだが、これが重要な言葉となる。

物語の最後、時代は一九八〇年代から二〇一四年に戻る。場所は金鐘、つまり雨傘運動の現場である。画面には、運動を支持するメモ書きがたくさん貼られた「レノンの壁」(連儂牆=Lennon Wall)が映り、壁には「失望しても絶望してはいけない」と「堅持」の大きな字が貼ってある。主人公は「最も重要なのは勝負ではない。最も重要なのは、君が零点五歩を踏み出す勇気があるか否か」と語って物語が終わる。

普通選挙の支持者は雨傘運動で負けたが、『點五步』は野球をテーマとして、香港への帰属感を表現しながら、諦めない精神、香港という場所と自分が信じる価値を守る決心を伝えた。このような強烈な香港アイデンティティを表す映画において、他者は、対戦相手の日本であり、弱い初心者は勇気を出して、最後にやっと強豪を倒した。

過去の香港映画と異なり、「日本」は中国民族意識を喚起する帝国ではなく、卑怯で邪悪な侵略者でもない。二〇一六年、この映画での「日本」は野球の強豪で、普通に堂々と、香港のチームと戦った。言い換えれば、戦争の記憶とつながった「日本」と中国民族意識の喚起、というパターンから、軍国主義の匂いがしない、ただの野球強豪の「日本」と香港アイデンティティの喚起、というパターンに変化したのである。

†日本ノスタルジー

香港では、日本に旅行に行くことをよく「里帰り」（返郷下）と言って、ふざけることがある。新型コロナウイルスで、二〇二〇年三月九日午前〇時から、日本の香港に対する査証免除（ビザフリー）も一時中断された。それに対して一部の香港人は「故郷に帰れない！」と悲鳴を上げている。また二〇一八年テレビチャンネルViuTVは、いま述べたように「里帰り」を意味する題名の旅行番組『#返郷下』を放送し、日本をはじめ、韓国と台湾の観光スポットを取りあげた。

二〇一九年一〇月初旬、つまり同年六月から半年も続いたデモの最中、七・二一、八・三一などの地下鉄で起きた襲撃事件（第3章第3節「数字篇」の「七・二一」「八・三一」参照）の一、二ヶ月後に、香港地下鉄（MTR）は突然、全香港の四〇駅以上に停車しないと発表した。いつもなら各駅停車の香港地下鉄が、まるで日本の急行、特急の路線のようになったわけだ。人気オンライン・メディア「100毛」はFacebookページで、「よく言われるが、日本へ帰る＝里帰りだ。今だったら遠くに飛ばなくていい。香港の地下鉄は君に日本式のサービスを提供する！」と、香港地下鉄の決定を皮肉った（市民のMTRに対する不満については第3章第3節「道具篇」の「党鉄」を参照）。その投稿は三万四〇〇〇の「いいね」を得た（二〇二〇年三月七日時点）。

now新聞は二〇一八年六月二八日に、動画「【数字你懂的】港人遊日似返郷下探親？」（【数字でわかる】香港人の日本旅行は里帰りみたい？）で日本の国土交通省観光庁の統計調査を引用しながら、香港人の日本旅行の頻度を説明した。これもここで語る「里帰り」という言い方に一つの答えを提供している。

簡単に言うと、香港人はとにかく頻繁に日本旅行に行く。訪日観光客数の国・地域別ランキングで、中国、韓国、台湾の次は香港である。訪日観光客一〇〇人あたり、八人が香港人である。しかも、忘れてはいけないのは、四位に占める香港の人口は約七四五万人（二〇一八年）で、中国、韓国、台湾に比べてかなり少ないということだ。にもかかわらず、二〇一八年に訪日人数は二〇〇万人を超えた。これは人口の二七パーセントに当たる数である。親日国と言われる台湾でも人口の一三パーセントくらいしかない（日本政府観光局、二〇一八）。過去二〇年間ほどを顧みると、二〇〇三年の年間二〇万から毎年増加し、二〇一五年に一五〇〇万人を突破している。香港の人口は七〇〇〇万人前後である。全香港人が行ったことがあるわけはないので、何回も日本に行く人たちが多いということが想像できる。

頻度から見ると、それは確かに「里帰り」のようで、もしかしたら「里帰り」より頻繁かもしれない。日本はもちろん、香港人の本当の故郷ではない。つまり選ばれた「里」である。なぜ「里」に選ばれたのか、なぜ日本は「里」のような親近感を持たれるのか。

前世代の香港文人、特に中国古典文学や歴史に関心を持つ知識人は日本、特に京都で、想像上の「中国」を発見することができると前述した。それは「中国人」としての「里帰り」である。しかし現在の香港人としての「里帰り」は、お寺や庭のような上品で教養がある場所で「里」を感じるわけではなく、より庶民的なものである。先ほども述べたが、一九八〇年代から複数の日本の百貨店が香港で開業し、数世代にわたって香港人は日本のアニメやゲーム機や家電とともに成長した。ゆえに、百貨店でのショッピングやアニメの「聖地巡礼」なども、彼らの記憶を喚起できる「里帰り」なのである。

香港人は中国大陸に入国するのを「返大陸」（大陸へ帰る）と呼び、中国大陸出身の親の故郷へ行くことを「返郷下」（里帰り）と言う。それらの言い方は香港で生まれ育った人々にとっては、これまで別に違和感がなかったようだ。しかし現在、中国からの同化と圧迫を感じるとともに、「帰る」という言い方に違和感、さらに抵抗感を持つ香港人が少なくない。それと同時に、面白いことに、日本に行くことを「里帰り」とふざける人が増えてきたのである。二つの現象が同じ時期に起きたのは、ただの偶然であろうか。あるいは「日本」はやはり、香港人の中国民族意識と香港アイデンティティにおいて、何かデリケートな役割を果たしているのだろうか。

第6章　戦争の記憶と「中国民族意識」

1　香港における「反日」の変容

†背景

香港住民の大部分は華人であり、華人として伝統的な中国文化を身につけているだけでなく、近現代の中国史に対し、民族意識も持っている。日本に関する戦争記憶が喚起されるたびに、香港で日本に対して反発が起きることは珍しくない。たとえば、南京大虐殺[6]、「釣魚台争議」[7]、歴史教科書問題[8]などがその例である。日本軍国主義の記憶は香港住民の中国人としてのアイデンティティの原点だという指摘もある（瀬川、一九九九）。

第二次世界大戦後、中国大陸、特に広東省から香港に来た人々は故郷の家族との絆が強かった。香港住民は、伝統的な文化を持っていながら、経済発展による自身の近代化とともに、「回郷」(中国大陸への里帰り)の体験や香港で中国大陸の人々と接触した経験を通して、彼らとの間に違和感を持つようになった(瀬川、一九九九)。香港住民は、徐々に中国大陸の「彼ら」という「他者」と違う、独特な自らのアイデンティティを意識し始めたのだ。しかし、戦争記憶のなかの「日本」は、香港の人々と中国大陸の人々の共通の他者として存続しているのである。

†一九〇八~四一年――拡大してきた対日抗議運動

一九〇八年に辰丸事件[9]が起こり、香港の「南北行」(中国と東南アジア間の貿易に従事した貿易会社の総称)は日貨排斥を行った。一連の行動の中で、人々は商店に乱入し、日貨(日本から輸出される商品)を奪い、暴動を起こした。日本の海産を売る「昌盛号」では、従業員の耳が切られるという事件も起きた(陳・楊、二〇〇四)。一九一五年に日本が対華二一ヶ条要求を行うと、中国大陸では一九一九年に五四運動、一九二八年に済南事件が起き、香港でも大小さまざまな日貨排斥やデモが起きた。

一九三〇年代から、日本の中国を侵略する行動が拡大するのに伴い、特に一九三一年の満洲事変と一九三七年の盧溝橋事件の直後、香港における日本への反発は諸方面に拡大し、組織化され始めた。貿易会社、紡織商会、砂糖商会、電気製品商会、銀行、労働組合による組織化した日貨排斥と労働者の自発的な非協力のほか、民衆もデモ、集会、追悼会、募金活動に次々と参加した。

また「香港新聞全体会」が日本の会社の広告を一切ボイコットすることにしたほか、さらに「中華全国文芸界抗敵協会香港分会」が成立し、一九三四年の『戦地帰来』以降、『生命線』『抵抗』『愛国花』などの「愛国抗日映画」が次々と上映された(陳・楊、二〇〇四/魏、二〇一六)。半世紀を通じて、香港における対日抗議運動は拡大しつづけ、個別の騒動や排斥行動は組織化され、多様化してきたのである。

一九四五~九七年――形式化と記憶の混成

一九四五年に香港ではイギリスによる統治が再開されたが、一九四八年に香港の各商会は、再び日本製品を排斥した。戦前と違うところは、民族意識が鼓舞された結果の不買運動というより、むしろ経済的利益を考慮した結果の不買運動だったということである。一九四七年八月一〇日に、香港と日本との貿易は再開されたが、アメリカは日本の工業の復興を支援し、多くの日本製品が香港に輸入されることとなった。このため「中華廠商連合会」は日本が香港の工業に損害を与えたとして、当初、香港政庁がアメリカ政府に抗議することを主張し、不買運動を行うと宣言した。

しかし、香港の商会も日本ですでに支店を開き、職員を駐在させ、日本製品を大量に購入していたし（『工商晩報』一九四七年一二月一三日）、一九五〇年代から「中華廠商連合会」などの工業界も日本に視察団を送っていた。また香港―東京間に国際線が就航し、日本の銀行が香港に支店を設立し、デパートも開業していた。一九九六年に大規模な保釣運動が起きた際、満洲事変の記念日に日本製品をボイコットする呼びかけがあったが、人々の反応はほとんどなかった（陳・楊、二〇〇四）。

また、対日抗議運動は、戦前は住民と商会を中心に構成されたが、戦後は、学生会、政党（一九九〇年代以降）、香港保衛釣魚台行動委員会（The Hong Kong Protection of Tiao Yu Tai Action Committee、以下保釣会）などの圧力団体が主催するようになった。たとえば一九七一年の保釣運動は香港専上学生連会（Hong Kong Federation of Students）、保釣会、『七〇年代双週刊』が中心となって活動した（倪、二〇一七）。一九九六年には民主党（Democratic Party）、香港教育工作者連会（Hong Kong Federation of Education Workers）などの民主派陣営と民主建港連盟（Democratic Alliance for Betterment of Hong Kong、以下民建連）、香港工会連合会（Hong Kong Federation of Trade Unions、以下工連会）などの親中派陣営、保釣行動委員会（Action Committee for Defending the Diaoyuislands）などの圧力団体が中心となって、戦後最大規模の運動が展開された。学生組織、公務員労組、各市民団体は、盧溝橋事件や満洲事変などが始まった日に記念式典やデモを組織し、日本政府に謝罪を要求し、声明を発表し、署名活動などの行動も行った。

戦前の対日抗議には、日本による中国への侵略に抗議する、という目標があった。一方、戦後は、領土問題や教科書問題、戦争に関する謝罪要求[10]、賠償問題[11]、靖国神社など、それぞれの問題に論点があり、さまざまな討論が展開されるべきである。しかし、香港の世論や抗議運動の扱いから見ると、各イシューは強くつながっていて、すべて「日本軍国主義」として記憶されている。たとえば一九九六年九月一五日、「軍国主義を倒せ」というスローガンを叫びながら、「保釣」のデモが行われ、同年九月一八日にも「九一八を忘れず、釣魚台を守る」というデモが行われた（陳・楊、二〇〇四）。一九九六年七月から一〇月の保釣運動の間、盧溝橋事件、満洲事変、侵略に対する謝罪と賠償の日本側への請求など、関連するイシューはすべて話題にのぼった。

特に、「釣魚台争議」は、第二次世界大戦までの日本の帝国主義と軍国主義につながっているが、冷戦という国際政治の背景、民族主義を利用して各地の華人への「統一戦線」を始めるという中国共産党の戦略など、さまざまな要素が含まれている。司徒華は、一九七〇年代初頭の中国共産党が、国内と香港の安定を維持するために、運動が拡大して変質しないように、人員を派遣して、北米における保釣運動に潜伏させ輿論《よろん》に影響を与え、議論を台湾統一問題に集中させた、と指摘している[12]（司徒、二〇一一）。しかし「保釣」を主張する人々は直線的に「釣魚台」と被害の戦争記憶を連結させ、「釣魚台」という領土問題は自動的に、戦争の被害者という道徳的に優れた立場に置かれるようになった。つまり、日本は「釣魚台争議」に対して「原罪」を背負う構図ができあがったのである。

†戦争記憶と民族意識の相互関係

一九七〇年代の大学生には当時の香港政庁に対する不満があり、「中国週[13]」などの活動で中国を宣揚したり、中国の政治、社会、文化を美化したりすることによって、香港政庁、資本主義の搾取とその弊害を顕在化させて批判した（陳、二〇一四）。

当時、華人である香港の学生にはイギリス人というアイデンティティはなかったし、「香港人」というアイデンティティもまだ顕在化しておらず、香港政庁に対してははっきりと提示されなかった。このような状況下、植民地政府である香港政庁に対する不満を前に、美化された帰属先、強い帰属先を希望し、自分の「根」を探す要求が自然に出てきて、当時の中国が彼らのアイデンティティの帰属先としてつよく意識されたのだ。

一九七〇年代のある香港中文大学の学生は保釣運動に参加する時、「私は今まで中国を称賛したことがないが、中国よ中国よ、今日私は君の一部であり、根がない世代はもう根無しではない」という短い文章を発表している（課程発展議会、二〇〇三）。アイデンティティの帰属をどのように獲得するか、日中戦争の記憶につながる「釣魚台争議」は、間違いなく彼らの答えのひとつであった。

そのように保釣運動により中華民族への帰属を獲得した一部の学生たちは、後に政党に入り、一九八〇年代や九〇年代に再度保釣運動に参加した。たとえば何俊仁（Albert Ho Chun-yan）は民主党の主席（二〇〇六～一二年）を務めた人物だが、一九七一年に香港大学に入学して保釣運動に参加し、一九九六年に尖閣に向かう行動を総指揮していた。

また戦後、対日抗議運動では、戦争記憶と民族意識は相互に作用するメカニズムを構築するようになってきた。学生や政党が日本の行動に反応し、民族意識が喚起されることが続いているし、これが一歩進んで主体的に日中戦争の記念式典に参加したり、謝罪や賠償請求活動に参加すれば、人々は戦争記憶を思い出すとともに、その民族意識も喚起される。

たとえば司徒華は一九八二年、返還問題が香港人の目の前にある時に、日本が中国を侵略した事実を改竄《かいざん》したのは中国人への侮辱であり、それに反対することをきっかけに、香港人の「民族感情」を奮い起こさせて、結果的に香港人に返還を支持させた、と主張している（司徒、二〇一一）。そこで喚起された民族意識は、逆に戦争記憶を強化するというメカニズムを構築するのである。

2 戦争記憶と民族意識に対する政府の操作

†香港政庁の対日抗議運動への態度と戦争記憶の処理

戦後、香港政庁は日本による占領の過去にもかかわらず、香港人の対日抗議運動・戦争記憶の扱い方に対して特段抑制をしなかった。一方で、貿易などの経済活動や両国政府相互の交流を見ると、一九四六年から一九四七年に戦犯の裁判が開かれたことや、一九五〇年代香港の海域で日本の漁業者を制限するなどの施策を除けば、香港と日本は関係を正常化してきたといえる（陳・楊、二〇〇四）。

また、一九四五年九月に日本軍票（一九四三年六月一日から香港ドルの所持と使用は禁止され、日本軍政下の香港で、日本の軍用手票は唯一の法貨となった）は無効にすると規定してから（陳・楊、二〇〇四）、一九九七年まで、民間から日本への軍票をめぐる請求に対し、香港政庁は不干渉の態度を取ってきた。さらに保釣運動にも、治安を妨害しない限り、ほぼ干渉していなかった。一九七一年七月七日、学生団体が「保釣」デモを行い、警察と衝突し、殴られ、二一人が逮捕された出来事があったが、同年八月、九月に、次々と行われたデモは、警察と衝突することなく進行した（倪、二〇一七）。一九九六年、当時のクリス・パッテン（Chris Patten）香港総督は大規模な保釣運動に対し、香港人の感情が理解できるので、個人の安全に危害を与えない限り、香港市民は自分の意見を伝えてかまわないと発言した（陳・楊、二〇〇四）。パッテンの発言から見ると、大規模な対日抗議があっても、政庁は香港人の民族感情と戦争記憶の間に介入しなかったと言える。

戦後、イギリスは、冷戦の西側の一員として、アメリカの支援を得る日本と、中国共産党を抑制する「仲間」になった。こうした背景とともに、実際的な経済利益を得るため、日本との関係正常化の傾向は、イギリスが現実主義を貫徹した結果であろう。一方、一九六七年暴動以降、香港政庁は香港を主体とするアイデンティティを唱え、社会福祉の改良に注力し、官民関係を改善する方向へと努力した。このため、七〇年代から始まった香港の人々の対日抗議に対し、厳しく制限せず、治安の維持という側面からのみ対応したのである。

一方、日本の統治が終わりイギリス統治に戻る「重光記念日」（重光紀念日＝Liberation Day）という公式の記念日から見ると、政庁は戦争記憶と民族意識という相互のメカニズムではなく、犠牲になった軍人を記念し、平和を望むという姿勢を見せてきた。一九九七年の主権譲渡の前は、毎年八月三〇日（一九六八年から、八月最後の月曜日とその前の土曜日になった）あるいは近い日に、いくつかの重光記念日の式典が行われた。たとえば、一九四六〜九一年の『工商日報』『工商晩報』『華僑日報』を見てみると、聖ヨハネ大聖堂（St. John's Cathedral）、大会堂記念庭園（Memorial Garden）、西湾国殤記念墓地（Sai Wan War Cemetery）、赤柱軍人墓地（Stanley Military Cemetery）などで記念式典が行われ、総督、官僚、軍人代表、予備警察隊（Auxiliary Police Force）、軍人団体などが出席したことがわかる。

†重光記念日と平和記念日の背景

一九九七年以前に香港政庁が行っていた戦争記念は主に重光記念日と平和記念日（和平紀念日＝Remembrance Day）である。

一九四一年一二月八日に日本軍が英領香港に侵攻して香港戦が起き、同月二五日に英軍は降伏した。その後、香港は「三年零八個月」（三年八ヶ月）と呼ばれる日本占領期を送ることになる。一九四五年八月三〇日にイギリスは香港の主権を回復し、一九四六年に香港政庁は、この八月三〇日を公的祝日である重光記念日に定め、記念式典が毎年行われた。

また一九一九年から香港政庁によって毎年一一月一一日が平和記念日と定められて式典

が行われることになっていたが、第二次世界大戦後、一一月一一日に一番近い日曜日を平和記念日に定め、第一次大戦と第二次大戦の犠牲者を一括して記念するようになった。

†イギリス統治の合法性と権威を表象化

重光記念日は光復記念日とも呼ばれる。香港華人向けの中国語──「重光」あるいは「光復」という言葉の意味は、「暗闇から光明に戻る」「失ったものを取り戻す」という意味である。終戦後の香港は中華民国が有するべきか、滅亡した清国が有するべきか、あるいは他の政権が有するべきかを別にして、イギリスの対香港統治の本質は植民地支配にちがいない。「重光」「光復」という言葉は、ただ「日本軍の占領や戦争の苦難から離れた」と理解してもよい。必ずしもイギリスの偉さをあらわすとは限らないが、英領植民地の再生にポジティブな印象を与えたと人々に連想させる。したがって、日本占領期の香港は暗闇であったが、イギリス統治下の香港は光明であると理解できる。重光記念日とその式典は「三年八ヶ月」という中国大陸と異なる戦争記憶を想起させ、イギリス人、カナダ人、インド人、香港華人などが香港を防衛したという香港史の特殊性を残す意義がある。同時に、毎年繰り返すことで戦後イギリスの対香港統治の合法性を休日と式典で表象化していた政治機能もあると言えるだろう。

さて、式典がどのように行われていたか、平和記念日から詳しく見ていこう。普段あまり見かけない、制服を着た多くの軍人や、政庁の高官、議員、各国領事、名望ある華人リーダーや財界人が一緒に、香港の中心部である中環にある平和記念碑の前に整列し、荘厳な儀式、軍隊のパレード、弔砲、軍楽、儀礼、宗教の祈りなどを行う場面は非常にシンボリックであった。当日、式典への参加を希望する一般市民は参列と献花（公式的式次が終わった後）をすることができた。また新聞やラジオ（公共放送局である香港電台〔一九七六年以前：香港広播電台〕）などのメディアによって式典の様子は市民に伝えられた。統治者の権威を表象化するのは国旗と国歌以外では観兵式が典型例だと言えるが、観兵式がない香港では、記念日の式典はそれに類する役割を果たしていたと考えられる。

†華人を統合することと華人からの承認

第一次世界大戦でイギリスに奉仕して亡くなった華人を記念するため、香港動植物公園に華人国殤記念碑（Chinese War Memorial）が一九二八年に築かれた。平和記念日の記念式典は華人国殤記念碑と平和記念碑の前で行われていた。第二次世界大戦後、華人国殤記念碑に「IN MEMORY OF THE CHINESE WHO DIED LOYAL TO THE ALLIED CAUSE IN THE WARS OF 1914-1918 AND 1939-1945」（一九一四～一九一八年と一九三

図6-1　華人国殤記念碑と英文の拡大写真（著者撮影）

九～一九四五年の戦争で連合国のため犠牲となった華人を追悼）という文が入れられ、第二次世界大戦で犠牲となった華人も同時に記念されるようになった（図6－1）。第二次世界大戦後から一九八一年までは、主に華人国殤記念碑、聖ヨハネ大聖堂（図6－2）と平和記念碑（第Ⅱ部扉写真）で平和記念日の記念式典は行われていた。

一九八一年から平和記念日の式典を平和記念碑の前で統一的に行うことになったが、その時に一九二三年に作られた平和記念碑に中国語で「英魂不朽　浩氣長存」（英魂は不朽であり、浩然の気はながく存在する）の文が入れられ、最初からある「The Glorious Dead」（光栄ある犠牲）、「1914-1918」と、戦後入れられた「1939-1945」とを合わせて、華人

図6-2　聖ヨハネ大聖堂（著者撮影）

を含めて二度の世界大戦で犠牲になった軍民を記念するという平和記念碑の機能が明らかになった。

重光記念日とは前述のとおり、イギリスによる植民地支配の合法性を認めるという政治的意味があるので、そのニュアンスを殊更に強調させないように、その式典は基本的に政庁の高官ではなく、主に皇家香港軍団（義勇軍）と軍人コミュニティが作った団体である香港戦俘協会によって行われた。一方、平和記念は世界的な記念日であり、重光記念日のようなニュアンスが比較的小さかったので、逆に政治機能をより発揮できた。

たとえば一九七一年の平和記念日に華人国殤記念碑で行われた式典では、一九四名の華人が招待された。彼らは主に議員、官員、香港の大慈善団体である東華三院（Tung Wah Group of Hospitals）や保良局（Po Leung Kuk）の主席のような名望家であった。戦争の犠牲者を記念するという名目で香港の華人リーダーを招待するのは、華人の重要性を認める意味があり、また香港政府が華人リーダーを成功裏に統合したというシンボリックな作用も発揮していた。

†祝日と式典の公式性

平和記念日と重光記念日は香港政庁によって定められた記念日であるので、香港で公に認知されているのは言うまでもない。さらに公定の祝日である重光記念日は香港市民の休日になり、香港社会の記憶の一部になったのである。

政庁の高官や司令官の出席と式典の規模から見れば、記念日の公式性は明らかである。平和記念日を例にとれば、総督、三軍司令官、陸海空の各軍司令官、布政司（Chief Secretary，一九七六年以前は輔政司：Colonial Secretary）、民政司、行政局と立法局の議員などが基本的に毎年の式典に出席した。また駐香港英軍が式典の儀礼を担当していた。たとえば一九七二年はアイルランド衛隊（1st Battalion Irish Guards）の楽隊が軍楽の演奏を担当し、平和記念碑の四隅に立つ哨兵は海軍、空軍、陸軍、香港義勇軍それぞれの軍人が担当しており、細部にわたって記念日の公式性が確認できる。

一九九七年以降の平和記念日は政府に認められているが、政府の代わりに退役軍人団体が式典を行うようになった。筆者が参与観察を行った二〇一八年一一月一一日の式典を例にとると、政府の代表は行政長官、司長、局長ではなく、礼賓処の処長（高級首席行政主

表 6-1　1997 年前後の重光記念日（著者作成）

	重光記念日（1997 年以前）			重光記念日（1997 年以降）	
日にち	1946-1967：8 月 30 日 1968-1996：8 月の最後の月曜日			／	
祝日・休日	○			×	
公式の記念日	○			×	
式典の場所	平和記念碑（1962 年前＋1995 年） 大会堂記念庭園（1962 年以降）	聖ヨハネ大聖堂	西湾国殤記念墳場＋赤柱軍人墓地	大会堂記念庭園	西湾国殤記念墳場
式典名称	重光記念日儀式			抗戦勝利記念日	重光記念日
主催日	1946-1967 年：8 月 30 日 1968-1996 年：8 月の最後の月曜日	8 月 30 日に最も近い日曜日	1946-1967 年：8 月 30 日 1968-1996 年：8 月の最後の月曜日	8 月	
主催者	官・民：皇家香港軍団（義勇軍）、香港戦俘協会	政府	政府：予備警察隊	民間：香港戦俘協会、皇家香港軍団（義勇軍）協会	民間：楽善会
目的	香港戦とその後捕虜となり犠牲となった殉難者を記念	世界平和を願い、戦争の殉難者を記念	第二次世界大戦で犠牲となった予備警察隊を記念	香港重光を記念し、香港戦の犠牲者を追憶	
主な参加者	香港戦俘協会、義勇軍、香港国殤記念基金会、駐香港英軍の三軍代表（1980-96 年）、総督パッテン（1995 年）、ウェールズ公チャールズ（1995 年）	総督夫婦、官僚、駐香港英軍の三軍代表、行政局・立法局議員、義勇軍、各国領事	予備警察隊	政府代表、香港戦俘協会、義勇軍協会、香港退伍軍人連会、二次大戦退伍軍人協会、Gunners Roll of Hong Kong、香港少年領袖団、セントジョン・アンビュランス香港	各国領事、楽善会、セントジョン・アンビュランス香港
式典内容	パレード、演奏、献花、黙禱、弔銃	祈り	パレード、献花、総警司のスピーチ	パレードと演奏（香港少年領袖団、セントジョン・アンビュランス香港が担当）、献花、黙禱	パレードと演奏（セントジョン・アンビュランス香港が担当）、祈り、スピーチ、献花、黙禱

表6-2　1946-1996年と1997年以降の平和記念日（著者作成）

	平和記念日（1946-1996年）						平和記念日（1997年以降）
日にち	11月11日に最も近い日曜日						11月11日に最も近い日曜日
祝日・休日	×（日曜日はそもそも休日）						×
公式の記念日	○						△（式典向けの交通規制以外の政府広報がない）
式典の場所	平和記念碑（ビクトリア女王生誕記念日である1923年5月24日に開幕）	華人国殤記念碑（1981年からなし）	聖ヨハネ大聖堂（1981年からなし）	赤柱クラブ・兵舎、赤柱軍人墓地	警察総部・警察訓練学校	石崗基地の教会堂	平和記念碑
式典名称	平和記念日						
主催日	11月11日に最も近い日曜日						
主催者	政府	政府	政府	政府：矯正局	政府：警察署	駐香港英軍グルカ部隊	民間：英国皇家退伍軍人協会（香港及中国分会）、香港退伍軍人連会
目的	平和を願い、二回の世界大戦の殉難者を記念。1950年代に朝鮮戦争の戦没将兵を記念する年もあった*。	平和を願い、二回の世界大戦の華人の殉難者を記念	平和を願い、二回の世界大戦の殉難者を記念。	平和を願い、二回の世界大戦の殉難者と他の時期の殉職者を記念。	二回の世界大戦と他の時期に殉職した警察を記念	平和を願い、二回の世界大戦の殉難者を記念。	平和を願い、二回の世界大戦の殉難者を記念。
主な参加者	総督、官僚、駐香港英軍の総司令官、三軍の司令官、防衛軍、司法代表、行政局・立法局議員、各国領事、数百軍人、華人代表（社会福祉、商会）、市民	総督、輔政司、官僚、軍隊代表、華人の官僚、行政局・立法局の華人議員、華人代表（社会福祉、商会）	総督	矯正局	警察隊	グルカ部隊	政府代表、消防局、飛行服務隊と民衆安全服務隊などの制服部門の代表・代理、警察楽隊、香港戦俘協会、義勇軍協会、香港退伍軍人連会、二次大戦退伍軍人協会などの退役軍人団体、数名立法会議員の代理、各国領事、各宗教、社会福祉、商会のリーダー、数校の国際学校の代表、各制服団体、市民
式典内容	パレード、演奏、国歌（英国）、献花、黙禱、弔砲、宗教的祈り	献花、祈り	パレード、演奏、黙禱、献花、祈り				パレード、演奏、国歌（中華人民共和国）、献花、黙禱、各宗教の祈り

＊　「軍政官紳、隆重記念」『工商晩報』1952-11-07、4頁。

任）であった。行政、立法、司法機関の代表者・代理出席者は一〇人であった。香港警察楽隊（Hong Kong Police Band）が演奏を担当したが、他の儀礼はほとんど民間の青少年制服団体（青少年向けで、規律、階級、団結を重視し、パレード、ボランティア活動、野外訓練を行う、軍隊のような階級によって編制された民間団体）に任せられた。平和記念碑の四隅の「哨兵」は香港海事青年団、香港航空青年団、香港少年領袖団、香港航海学校、それぞれに属する少年であった。重光記念日と平和記念日をめぐる記念行事は、香港返還によって大きく変わったのである。一九九七年前後に起こった、それらの記念行事と祝日の有無、主催者、参加者、式典内容の変化によって、公式性の度合いがうかがえる（表6－1、表6－2）。

「日本」――「無色の他者」

理論上、重光記念日とその式典にとって、敵であった「日本」は不可欠な存在である。香港の平和記念日とその式典は、そもそも第一次世界大戦を記念するものであったが、戦争への参加の度合いや影響から見れば、第二次世界大戦を記念するほうがむしろ意義が大きい。ゆえに、重光記念日と同様に、平和記念日にとって「日本」の存在感は高いはずである。

しかし、香港政庁が扱っていた「記憶の場」の中では、「日本」の存在感は非常に小さく、「日本」は脱色された、「無色」とも言える状態になっている。香港歴史檔案館に保存されている戦後から一九九七年までの重光記念日と平和記念日に関する公文書や公式プレスリリースでは、「日本」にはあまり言及されていない。

たとえば、平和記念式典を紹介する際、おおむね「二回の世界大戦で犠牲となった人々に敬意を表す」「戦争の時犠牲となった人々を追憶」、または「積極的に貢献し命を犠牲にした人々に敬意を表す」とされている。一九七〇年代から八〇年代の重光記念日の式典の公式プレスリリースから見れば、平和記念日と同様に、主に「香港戦で、あるいはその後捕虜となり犠牲になった香港義勇防衛軍のメンバーを追憶」「第二次世界大戦で犠牲になった香港予備警察隊のメンバーを記念」という簡潔な文でその戦争を説明し、「日本」に関する記述はほぼない。香港政庁はなるべくイデオロギーを「記憶の場」に導入しないようにしていたのだ。

一九六七年五月からの香港暴動の影響を受けたのかもしれないが、同年一一月の平和記念日式典の公式プレスリリースでは、「第一次と第二次世界大戦で亡くなった人々を追憶する」(in memory of those who fell in the First and Second World Wars) と記入されているが、直筆で「自由と同胞のために犠牲になった」(who died for their fellow men in the cause of freedom）と書き直されていた。さらに「これからも上述の文は使用される」（the above is to be used in future）という補足説明が付いている。一九六八年と一九六九年はその文が使用されたが、一九七〇年からはまた「自由のため」という一節が削除され、再び「戦争で犠牲になった」という文を使うようになった。

つまり、中国共産党の影響を受けた一九六七年の暴動に対して、香港政庁は平和記念日を通じて、中国共産主義の独裁性質に抵抗する「自由」というイデオロギーを強調した可能性がある。言い換えれば、第二次世界大戦における、軍国日本と自由世界という対立図式を利用して、独裁中国と自由香港という状況を暗示したのかもしれない。そこで指摘したいのは、仮に香港政庁に本当にその意図があったとしても、「日本」は依然として「無色」で、その独裁性や侵略性が表されておらず、意図的に取り上げて批判されることがなかったということである。

†「日本」はなぜ「無色」なのか

一九九七年以降の香港政府と比べると、香港政庁が扱った「日本」の無色性は明らかである。二〇一四年から、香港政府は中国政府に追随し、毎年九月三日を「中国人民抗日戦争勝利記念日」に定めて式典を行うことにした。中国人民が侵略者である日本に抵抗した、

という メッセージに基づいて「抗日戦争」という名前が付いている。筆者は二〇一八年九月三日の式典で参与観察を行った。

当日、司会者は広東語、普通話、英語で「今日は中国人民抗日戦争勝利記念日です。一九三七年に七七盧溝橋事変が起きた後、日本はすぐ中国に全面的な侵略を展開しました。香港市民を含めて中国各地の人民は、日本の侵略者に八年という長い間辛く困難な抗戦をしました。一九四五年九月二日に、日本は降伏し、中国抗日戦争は最後の勝利を得ました。我々は本日抗日戦争勝利を盛大に記念しますが、これは歴史を銘記し、烈士を追憶し、平和を愛し、未来を切り開くためです」と語った（二〇一四〜一七年の式典でも同じ話がされた）。

ここでは、日本が中国に全面的な侵略を行い、「民族の敵役《かたき》」である日本に抵抗するために中国人民は八年間ずっと苦しんだと訴えかけている。筆者は日本の中国への侵略という事実を否定するつもりはない。ただ注目したいのは、なぜ植民地期の香港政庁が扱った戦争記憶は現在の香港政府の場合と異なり、「日本」の性質を定義せず、「侵略」などの言葉をほとんど使用しなかったのかという点である。

まず理由として考えられるのが、重光記念日と平和記念日およびそれらの式典は、歴史的意義はあるが、植民地支配者であるイギリスにとっては統治の合法性と権威の表象化、かつ華人の統合と承認という政治的機能のほうがむしろ重要であったことである。一九九七年より前の香港の祝日はほぼ中華文化とイギリス文化の二つに分類できる。旧正月、清明節、端午節、中秋節、重陽節は中華文化、受難日、復活日、女王誕生日、クリスマスはイギリス文化に属する。華人、西洋人、エスニックマイノリティを問わず誰でも楽しく過ごせるが、それらの祝日の起源からみれば、香港の人々みなで共有する祝日ではない。

しかし、共通の戦争記憶に基づく重光記念日と平和記念日はその例外である。平和記念日は香港独自の記念日でも、公式休日でもないが、重光記念日と同様に香港戦、陥落、第二次世界大戦を記念するので、香港の人々が共有している記念日である。したがって、統治の合法性と権威の表象化、かつ華人の統合と承認という政治的機能から言えば、重光記念日と平和記念日という記憶は重要な意味を持って共有され、より利用されやすいのである。

ただし、香港は民族国家ではないので、民族の物語は香港には適用できない。もし政庁が「日本」という侵略者を強調すると、自らの植民地支配者としての性質を顕在化させ、香港華人の民族意識を喚起する恐れがある。また、冷戦時代にアメリカ寄りの日本はむしろイギリスの盟友であったから、香港と日本は実際的な貿易や経済活動、文化交流のパートナーであり、わざわざ戦争記憶の中の「日本」を強く批判する理由がない。

しかも、日中戦争と太平洋戦争の香港戦は強くつながっていたが、実際の作戦軍隊（英軍、カナダ軍、連合軍など）、開戦（一九四一年一二月八日）、降伏（一二月二五日）、陥落（三年八ヶ月）、重光（一九四五年八月三〇日）など、ほとんどが中国大陸とは別の概念である。したがって、香港政庁が扱っていた戦争記憶では、必ずしも九七年以降の香港政府のように、「盧溝橋事変」から始めて、「香港市民を含めて中国各地の人民」「一九四五年九月二日に、日本は降伏し、中国抗日戦争は最後の勝利を得」たという「中国的視点」を用いて、香港を民族の物語に埋め込み、日本を「民族の敵役」として登場させる必要がなかった。

むろん、二度の世界大戦ともに主要な参戦国であったイギリスは戦没者追悼式に対して自らの伝統と文化があり、元敵国への批判を表現するのはそもそも彼らの習慣ではなかったかもしれない。香港の記念行事における「日本」という「無色の他者」は、香港政庁の特別な扱い方ではなく、ただイギリスの追悼式の伝統に従った可能性もある。ただし、結果的に言うと、この「無色の他者」という扱い方は、ちょうど華人社会である香港の中国民族意識を抑える効果を果たしたと言えるだろう。

†一九九七年以降——祝日と儀式の希薄化

一方、一九九七年以降の香港政府は以前と異なる態度で戦争記憶を取り扱う。まず、香港を主体とする祝日と儀式を希薄化し、中国の歴史観に合わせようとしている。一九九七年の主権譲渡の直後、戦後香港に特有の祝日である重光記念日が、中国大陸と同様の「抗戦勝利記念日」に改称され、香港人の視界から削除された（『假日（1997年及1998年）条例』）。さらに一九九九年から、「抗戦勝利記念日」が祝日からはずされた。[14] つまり、八月最後の月曜日とその前の土曜日という祝日は実質的に消し去られたことになる。

代わって、二〇一四年から、中国大陸に従って、香港特別行政区では「中国人民抗日戦争勝利記念日」と「南京大屠殺死難者国家公祭日」（南京大虐殺犠牲者国家追悼日）を定めることになった。二〇一五年、「中国人民抗日戦争勝利七十周年記念日」を祝うため、九月三日は特別な祝日と決められ、雇用主は必ず従業員を休ませることが求められた。そしてその後、毎年九月三日が中国人民抗日戦争勝利記念日として定められ、行政長官をはじめとする政府の高官、立法会議員、司法機関の代表、行政会議のメンバーが公式の儀式に参加している。また、二〇一四年から香港でも始まった南京大虐殺犠牲者国家追悼日の式典は、毎年一二月一三日に執り行われ、行政、立法、司法の各機関から代表が出席している。

†強調される東江縦隊

中国共産党のゲリラ部隊――抗日遊撃隊東江縦隊の港九独立大隊（以下、東江縦隊）は、一九四二年二月に正式に設立された。この部隊には、主に香港の新界で活躍し、香港で共産党の勢力を拡大しながら、中国の文化人や連合軍側の捕虜などを救出した功績がある。

一九九八年に「香港を守るため命を捧げた人士」を記念する式典（「為保衛香港而捐軀之人士」追悼式）で、香港政府は、この東江縦隊の構成員として亡くなった一一五人の名簿を香港大会堂（Hong Kong City Hall）の中の記念龕（Memorial Shrine、次章図7－1）に置き、香港戦で犠牲になった軍人と並置した。

以後、広報、展覧会、講座、研究、書籍を通じて大隊の功績がさかんに宣伝されている。たとえば二〇〇四年六月二五日から一〇月六日まで、海防博物館で「烽火英雄――東江縦隊与港九独立大隊」という特別展覧会が開催された。六月二四日に政府は新聞広告で、東江縦隊に対し、「家々に言い伝えられ、すべての家庭が知っている」「全く畏縮することなく、奮戦して敵を殺し」「全力で祖国の抗日を支援した」と評している。

筆者は二〇一七年一二月二四日と二五日に、香港海防博物館と香港歴史博物館を参観した。両館の常設展でも、東江縦隊について展示されている（図6－3）。内容はほぼ同じで、東江縦隊の貢献を肯定的に記述している。たとえば、中国共産党の指導の下で東江縦隊が成立し、主に香港の新界で日本軍と遊撃戦を展開し、人質を助けたり、情報収集をし

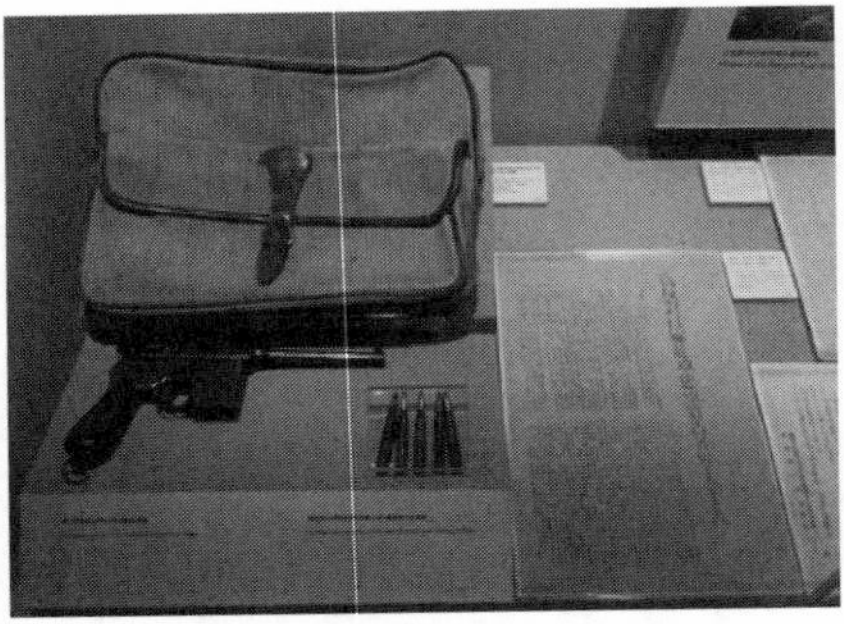
図6-3　東江縦隊が使った銃、カバン、配布された銃弾、「抗日通告」（香港歴史博物館、著者撮影）

たり、日本軍の交通施設を破壊したり、漢奸や土匪を殺害したと記述されている。展示から見ると、東江縦隊に対する評価は比較的客観的だと思われるが、英軍の功績は相対的に曖昧になっている。英軍の守備が足りず、すぐに戦線が崩れて敗退したという解釈に比べると、共産党に属する東江縦隊に関する記憶は相対的に強調されている。

実は東江縦隊と類似の行動をした「英軍服務団」(British Army Aid Group: BAAG）というイギリスの部隊が存在する。しかし、たとえば香港歴史博物館でＢＡＡＧに関する展示は、「日占時期」（日本占領時期）というコーナーでの「抗日組織」という展示で六〇字を超えない程度の紹介しかない。東江縦隊のように詳しい説明、写真、新聞、武器や服装などの展示品がない。同様に、香港海防博物館の常設展第九室「日占時期」での「営救盟軍友人」という展示で、ＢＡＡＧは言及されているが、その語りは「港九独立大隊（東江縦隊）は英軍服務団と良好な協力があり、彼らに情報と資料を提供する」となっている。つまり、「英軍服務団」はきちんとした紹介もされず、ただ東江縦隊の話の中に少し出てくるだけなのである。

このようにBAAGと東江縦隊を比較すると、後者のほうが多く展示されている。また後者はメンバーの口述記録の映像や録音も展示されており、たとえば東江縦隊の元メンバー蔡松英（Cai Song-ying）の録音もある。香港歴史博物館の録音ガイドも、「日占時期」というコーナーでは、「敵に抵抗する勇敢な東江縦隊の光輝な事績が理解できます」と語る。二〇一〇年九月から二〇一一年三月まで海防博物館で「英軍服務団情報草図展」（BAAGが集めた情報に基づくスケッチ画の展覧会）という特別展覧会が実施されたが、短期的な展覧会であり、明らかに一〇年、二〇年にもわたり常設展で展示されている東江縦隊よりもBAAGの展示は少なかった。

†国民教育としての戦争記憶

また、香港政府は戦争記憶を民族意識と連結させ、香港人に対する国民教育の一部としようとする。二〇〇九年、教育局は「薪火相伝――国民教育活動系列平台」（「平台」はプラットフォームの意味）を成立させ、「国民教育を進め、交流と学習によって香港の教師と学生に国家の飛躍的発展を自ら体験させ、国情を理解させ、国に対する感情を増す」ことを理念として活動している。「平台」のウェブサイトの中に、教育局により国民教育の目的で派遣される中国大陸交流団のことが紹介されている。「南京歴史文化探索之旅」「京港澳学生交流夏令営（二〇一七）」「北京歴史及科技探索之旅」のように、北京、南京を訪問する時には、つねに中国人民抗日戦争記念館、盧溝橋、侵華日軍南京大屠殺遭難同胞記念館を参観する。また「哈爾濱歴史文化及経済発展探索之旅」「大連、瀋陽歴史和文化探索之旅（二〇一七／一八）」などのように、中国東北部で交流する場合は、松花江、東北烈士記念館、九一八歴史博物館などを参観する。これらの博物館や歴史現場は中国共産党中央宣伝部によって指定されている「全国愛国主義教育基地」であることが多い。

交流団のみならず、一般的な教材もそのような傾向がある。香港教育局が高校に指示した『総合人文科目課程及評估指引（高校四年—五年）』によれば、期待される学習成果の一つは、「香港住民が擁する多元的アイデンティティを認識し、地元の住民アイデンティティと国民アイデンティティの関連性を理解する」ということである。「核心単元二」（中心的な単元二）では、香港社会の特徴についての議題2のポイントのbには、国民アイデンティティについての「検討問題建議」（推奨される設問）として、「どの程度まで香港人は中国人というアイデンティティを認めるか？」「香港人はそれぞれの事件や時期で、いかに国家に対してアイデンティティを表すか？」「どうすれば愛国的になれるか？」が挙げられている。科目全体の「価値観及態度」には「帰属感、文化及文明承伝、愛国心、団結一致」（帰属感、文化および文明の継承、愛国心、団結）などが含まれている。『総合人文科目（高校四年―五年）「学習資源冊」』の「核心単元二」では、「事実上、私たちは過去と今日の香港において発生した出来事から、香港人の国家民族に対する帰属（意識）が証明できる。たとえば、香港陥落時期（一九四一年一二月二五日～一九四五年八月一五日）、抗日運動、一九七〇年代の保釣運動、一九八九年の天安門事件、一九九七年の香港の祖国復帰、中国侵略についての歴史教科書改竄に対する日本への抗議、などがそうである。さまざまな時期と出来事から、香港人は国家と民族への感情を表す」と論じられている。また同書では、「香港人は、国家と民族に対して本当に感情がないのか？　どのような出来事が香港人の国家と民族に対する感情を体現できるのか」「いかにして香港の青少年世代の国家に対する感情を増加させるのか」という設問が掲載されている（課程発展議会、二〇〇三）。

つまり、戦争記憶としての「日本」（香港陥落、抗日運動、保釣運動、歴史教科書の改竄問題）は、前記のような公式の課程指導資料によって、香港人の国家と民族への重要な歴史的な「証拠」の一つとされているのだ。

第7章

戦争の忘却・想起・香港アイデンティティ

1 イギリス統治の遺産

前章で、戦後から一九九七年にかけて香港政庁の戦争記憶の扱い方を取り上げた。一九九七年の主権譲渡で英領香港政庁の代わりに香港特別行政区政府が香港を治めることになった。しかし、それ以降、植民地時代の戦争記憶を扱うことがすぐに消えたわけではなく、現在も物質的な場、機能的な場、象徴的な場として残っている。本章では、一九九七年以降のイギリス統治の遺産としてのモニュメント、退役軍人団体、他国政府が行う記念式典という三つの切り口をとりあげる。香港政府による記憶の扱い方と比較しながら、それらの統治遺産の存続と変化から「日本」の多面性を考察する。

†物質的な場――モニュメント

モニュメントとして代表的なのは、政府が管理する中環にある大会堂記念庭園（図7－1）と平和記念碑（第Ⅱ部扉写真）である。このほかに、英連邦戦争公墓管理委員会（Commonwealth War Graves Commission）あるいは他の非政府団体が所有する場所もある。図7－2の赤柱軍人墓地（以下：赤柱墓地）と図7－3の西湾国殤記念墳場（以下：西湾墳場）がそれに当たる。

大会堂記念庭園は第二次世界大戦で香港を守るために自らを犠牲にした軍人を記念するために建てられ、一九六二年の香港大会堂（Hong Kong City Hall）の落成とともに一般公開されたものである。庭園の中心に、記念龕（小さな記念用の建物）があり、犠牲軍人の名簿と記念額がその中に置かれている。前章で述べた通り平和記念碑は、一九二三年に第一次世界大戦の犠牲者を記念するために建てられ、第二次世界大戦後、二度の世界大戦を記念する場所になった。

西湾墳場は、第二次世界大戦でイギリス軍が日本軍と戦った香港戦で犠牲となった軍人を主に記念する場所である。英連邦戦争公墓管理委員会の資料によれば、一五七八基の墓があり、「イギリス人、カナダ人、インド人、香港人、オランダ人、オーストラリア人」

図 7-1　香港大会堂記念庭園の記念龕（上）（著者撮影）
図 7-2　赤柱軍人墓地（下）（著者撮影）

など、国籍・人種は多様である。赤柱墓地には香港戦で犠牲になった六九一名の戦没者の墓があり、四八八名はイギリス人で、一五七名は香港人である。義勇軍の軍人と「英軍服務団」(British Army Aid Group: BAAG) の団員の墓もここに多くある。

†香港戦に関する論述

西湾墳場や赤柱墓地などの非香港政府の団体が管理している場所を見れば、香港政府と違う記憶の扱い方がうかがえる。西湾墳場と赤柱墓地には同じ展示品があり、香港戦での

図 7-3　西湾国殤記念墳場（著者撮影）

英軍の弱さを隠さずに説明し、英軍の構成や戦闘の過程を詳しく説明している。たとえば「日本軍が中国大陸を占領して、制空権と制海権を有していた。香港の防衛軍が外からの支援を得るのは困難であった」という説明もある。香港政府が運営する香港海防博物館と香港歴史博物館にある展示パネルは、「努力したが何の手ごたえもなく、険要の地に立てこもって必死に抵抗したが

無駄骨であった」「数でまさり、第二次世界大戦で最も恐ろしい軍事力の一つに包囲されて攻撃され続けたが、最後までイギリス側は反撃するつもりだった」と英軍を描いている。これに対して、西湾墳場と赤柱墓地の展示では、「絶対勝つ可能性がない状況でも勇気を奮い起こして戦った」と論じている。香港政府の論述によれば、英軍は英勇で、必死に抵抗したが、力が足りず、強い日本と苦闘したがすぐに負けたのである。

これと異なり、英連邦戦争公墓管理委員会の歴史論述は、ヨーロッパの状況、中国大陸、東南アジアの状況、日本軍との力の差などを考察した上で、英軍はそもそも日本軍に対する勝算がなく、ただ必死に抵抗したという説明である。

†「無色の他者」である「日本」

西湾墳場と赤柱墓地の展示品の解説を見ると、「日本」に関する話はあるが、感情的な描写と単純化された説明が少ない。たとえば、西湾墳場の展示品には、「日本がまもなく香港に侵攻することへの恐怖は徐々に高まった」「一九三七年から日本は対中国作戦を始めた」「日本軍はすばやく全島を占領し、劣勢に立つ守備兵をすぐに包囲してきた。香港の都心部では水と食糧を欠き、守兵の死傷は甚大で、生き残った人もすでに体力が尽きていた」「極東戦での連合軍の捕虜は日本軍によって、栄養失調、疾病、虐待および死刑執行を含むさまざまな苦難に遭遇した」などの記述がある。

一九八六年、九龍公園の臨時香港歴史博物館（一九八三年に運営開始）に関する資料から、一九八〇年代後半の香港政庁が描く「日本」を見てみよう。一九八六年に、博物館の拡張工事の際、「香港歴史」（The History of Hong Kong）という常設展が企画されていた。この企画はおそらく二〇〇一年八月に開幕された香港歴史博物館の常設展「香港故事」（香港物語）の原型である。しかし、「日本」という表象は異なっている。当時の企画書によれば、「日本占領」（一九四一―一九四五）というセクションは、展示が五つの部分に分かれていた。

まず、香港戦の背景である。防空壕の建設、カナダ軍の到着、防衛線の設立などが含まれるパートである。第二に、新界から、九龍、香港島まで、日本軍の侵入ルート、および占領までの毎日の重要な記事である。第三に、占領期の生活、香港軍政庁と占領地総督部の設立、捕虜収容所、食糧の配給、商売と通貨、新聞紙、交通、宗教団体や東華三院のような慈善団体、および新界のゲリラ（前述した東江縦隊）などに関する歴史を紹介するパート。第四に、香港から中国大陸への華人強制送還政策、送還のセンターとそのルートである。最後に、日本の降伏、英軍による香港の再領有、臨時軍政、および忠霊塔と香港総督府など日本占領によって残されたものを扱うパートである。それらの出来事を写真、新聞、軍人が書いた自伝に基づき展示しようとしていた。

資料から、実際の展示品と説明が「日本」をどう描いていたかは明らかではない。しかし、企画の方向性と残っている資料から見ると、香港の状況が中心となり、英軍の防衛、カナダの支援、ゲリラ(東江縦隊)の活躍、西洋人の捕虜、華人の強制送還、日本政府の活動が取り上げられていたとわかる。中国大陸の状況についての紹介が欠如しており、不足だといえるが、ヨーロッパやアジア各地における英軍の戦況も同様に言及されていない。

†機能的な場──退役軍人団体

香港には現在なお、活動している退役軍人団体として、主に英国皇家退伍軍人協会(香港及中国分会)(The Royal British Legion (Hong Kong & China Branch))、香港退伍軍人連会(The Hong Kong Ex-Servicemen's Association)、皇家香港軍団(義勇軍)協会(The Royal Hong Kong Regiment (The Volunteers) Association)、第二次大戦退伍軍人協会(World War II Veterans Association)、香港戦俘協会(The Hong Kong Prisoners of War Association)がある。

英国皇家退伍軍人協会と退伍軍人連会のメンバーはほぼ同じで、香港の事務所の所在地も同じである。義勇軍協会のメンバーは一九九五年に解散した義勇軍の元軍人である。彼らは通常は普通の市民として日常を過ごすが、訓練を受ける時や任務がある時には軍人として出動した。第二次大戦退伍軍人協会と香港戦俘協会は名称のとおり第二次世界大戦に参加した退役軍人の団体だが、現在所属しているメンバーは非常に少ない。

これらの団体は毎年それぞれの記念式典を行い、退役軍人以外に、香港政府代表や各国の在香港総領事などを招待する。

†二戦退役軍人の経歴――歴史と「日本」の多元性

香港戦に参加して、現在も健在な元軍人は非常に少ない。その一人である蔡炳堯(Peter Choi)の二〇一八年九月のインタビューによれば、三、四人しか健在ではないそうだ(『香港01』二〇一八年九月二日)。二〇一八年に蔡はすでに九七歳であったが、第二次大戦退伍軍人協会の会長として依然として各種の記念行事に出席し、多くのメディアのインタビューを受けていた。以下は各メディアのインタビューと資料に基づき、彼の経歴をまとめたものである。ここでは香港戦と陥落の歴史的多元性および「日本」という存在を考察したい。

蔡炳堯は一九二二年に香港で生まれた。華人の一般市民である蔡は小さい頃からイギリス人と交流するチャンスがなく、彼は自らの中国人アイデンティティを疑ったことがなかった（『中時電子報』二〇一六年三月四日）。香港戦が起きる二ヶ月くらい前に彼は英軍に入隊し、一二月八日に香港戦が起きた。

彼によれば、華人とインド人の兵士は仲が良く、イギリス人指揮官は彼らに差別的ではなかった。一九四一年一二月一三日に、蔡が所属する第一七対空砲連隊は日本海軍九四式水上偵察機を撃墜した。香港政庁が降伏すると、蔡は広東に避難し、生活のため、二ヶ月くらい広州で汪兆銘政権の和平建国軍に入った。その後彼はまた香港に戻り、秘密裏にＢＡＡＧに入り、金鐘と太古船塢のあたりで修理されている日本軍の船舶に関する情報を集めた。連合軍が香港を爆撃し、爆弾が湾仔の修頓遊楽場に落ちたことと、多くの台湾籍者が日本軍として香港に派遣され、捕虜を監視し、抗日活動をする者を拷問するのが主な仕事であったこと、を蔡は記憶している。彼はある日、ＢＡＡＧに報告するため、恵州へ行き、途中国民党の湖南地方部隊に逮捕され、その後、国民党の陸軍独立第九旅団に入った。彼は日本軍に強姦された妊婦を止血したこともある。終戦後、彼は香港に戻ったが、その時最初に印象に残ったのが、多くの家の前に青天白日満地紅旗が掲げられていたことであった。彼は再び英軍に入隊したが、待遇に差別を感じて、予定より早く除隊し、以降女王の写真に敬礼することはなかった（前掲資料）。

彼はイギリス退役軍人の福利厚生に不満があり、イギリス王室のメンバーが訪問した時に、直接に抗議したこともある。また彼は、一九九七年より前は、香港政庁が彼を訪問することもあったが、返還後、中国・香港政府は自分のことに関心がないと言った（『立場新聞』二〇一五年八月二一日）。さらに、彼は香港戦の主力である英軍の功績を認め、カナダ軍の死傷は最も悲惨だったと述べた。彼は日本に恨みはなく、孫は日本人女性と結婚し、三人の曾孫《ひまご》がいる（『香港01』二〇一八年九月二日）。だが戦争について、日本政府はただ口先だけで謝ったが、まだ実際的な行動で誠意を表していないと彼は考えていた（商業電台、二〇一五年八月一六日）。

蔡の個人的記憶はもちろん歴史の全てではないが、香港政庁と香港政府の論述より多元的である。中国人アイデンティティが強い蔡は英軍に入り、多民族の香港戦を経験し、陥落時に連合軍の誤爆で市民が死傷したことも忘れていない。「漢奸」と責められる汪兆銘政権に関わり、国民政府の軍隊にも参加したことがある。イギリス側からの待遇問題を批判する一方、英軍の功績を認め、カナダ軍人の犠牲も忘れていない。退役軍人への中国・香港政府の無関心を批判する一方、彼は香港政府が行う南京大虐殺犠牲者国家追悼日儀式や中国人民抗日戦争勝利記念日儀式や「香港を守るため命を捧げた人士」を記念する儀式によく出席する。彼は日本軍と戦い、日本軍の構成の複雑性（台湾からの兵士）を理解するが、日本軍の戦争犯罪で苦難を受けた中国市民を助け、日本政府の問題を指摘する。その一方、日本に恨みはなく、日本人の血を引く曾孫がいる。

すなわち、彼の経歴は、香港戦と陥落の歴史の特殊性を含め、民族の物語には埋め込まれないが、中国人アイデンティティをはっきりと保持し、さらに大陸の正規軍や地方勢力にも関わり、日本軍の戦争犯罪と兵士の出身地に関する複雑性まで反映している。繰り返しになるが、彼の記憶は歴史を全て反映できているわけではない。しかし、どちらの政権が提供する戦争記憶も、彼の経験以上の多元性を有していないのである。

†象徴的な場——記念式典

記念式典の内容から見れば、退役軍人団体や他国の政府は、政治、民族主義を連想させる言説には言及せず、宗教的な祈りで犠牲者を悼み、平和を祈るという立場を取っている。たとえば、二〇一八年一一月一一日に英国皇家退伍軍人協会と退伍軍人連会が行った平和記念日の式典では、「平和記念日記念式典へようこそ、第一次世界大戦と第二次世界大戦で犠牲となった戦士を追悼し、彼らに最も崇高の尊敬をはらうため……」と司会者は参加者に説明した。司会者の簡単な説明以外、言葉の使用はほとんど決まっている「祈り」である。イギリスの詩人ロバート・ローレンス・ビニョン（Robert Laurence Binyon）の「戦没者のために」(For the Fallen) の一節が朗読され、「The Prayer of Remembrance」

「The Prayer of Peace」「The Lord's Prayer」などの祈りがささげられた。一九七〇年以前の儀式の概要はまだ確認できていないが、遅くとも一九七〇年から、平和記念日の式典のプログラム（Summary of Arrangement＝儀式程序表）にそれらの祈りの中国語の翻訳が添えられていた。[15]また、一九八一年から「主禱文は全ての参加者が英文あるいは中文で朗読」「祝福（まず英文、次は中文）」などの指示がプログラムに記載されている。それらの英語・広東語で祈りを朗読する伝統は返還後も存続している。また、インド、カナダ、アメリカ、イギリス、オーストラリアなどの各国の総領事は返還の前後にかかわらず、つねに出席していた。

式典はイギリス統治の遺産と言えるが、香港政府や中国政府の正統性に一切挑戦をしていない。たとえばイギリスの国歌斉唱と英国旗掲揚という長年の伝統をやめて、返還後の現実的環境に従って中華人民共和国の国旗を掲げ、最後には中国国歌を流している。

各国政府については、在香港・マカオカナダ総領事館が毎年行う「カナダ人記念式典」(Canadian Service of Remembrance / Canadian Commemorative Ceremony)が、一九四七年から現在まで続いている。式典の目的は香港戦とその後捕虜となって亡くなったカナダの軍人を記念することにある。各国の総領事、香港政府の代表者、退役軍人団体、香港にあるカナダ人学校の生徒たち、これらの関係者、香港のカナダ商社や香港在住のカナダ人、

図7-4　在香港カナダ総領事館が行った記念式典で、Delia School of Canadaのクワイアが歌っている（西湾国殤記念墳場）（著者撮影）

および一般の香港市民も出席する。「日本」に対する態度は香港政庁とほぼ同じである。日本は香港戦において彼らの敵軍だったが、式典では特に日本軍を批判せず、「日本」に言及していない。

筆者は二〇一八年一二月二日に在香港カナダ領事館が行なった記念式典に出席した。そこで、香港のカナダ系インターナショナル・スクール、Delia School of Canadaの日本人教師、S氏にインタビューをした。

S氏はDelia School of Canadaで日本語を教えると同時に、クワイア（聖歌隊）の役職も担当している。当日歌っていたクワイアのメンバーには小学生が二七人いた。S氏によれば、「いろいろな国や地域の子がいるんですけれど、その中に日本人は五、六人いて、五分の一は日本人のメンバーになります……今日はそのご両親などと一緒にここに来ました」。つまり、日本人教師、日本人の生徒たち、日本人の保護者も出席しており、彼らは参列するよりもっと重要な役職を担当していた。各国領事、退役軍人、各団体の代表者が最も大きな十字架に献花している間、S氏がピアノで伴奏し、二六名のスカウト代表が二六個の墓に献花している間、日本人生徒を含むクワイアが歌っていたのだ（図7-4）。

日本人が公式的にこのような記念式典に参加するのは、香港ではおそらく「カナダ人記念式典」だけであろう。香港政庁、香港政府、退役軍人団体が行う式典で、個人的に参列する日本人がいてもおかしくはないが、公式に招待されることはない。ゆえに「カナダ人記念式典」は意義深い。S氏がどう考えているか見てみよう。

> こちらに眠る全ての兵士が、第二次世界大戦の日本の占領による被害者ということに、私たちは申し訳[16]ない気持ちでいっぱいです。私たちはとても残念だと思います。私たちは学生にポピーの宣伝方法やこちらにいる時の礼儀を教えています。だから私たちは、とても残念な気持ちを持ちながら、自分たちはここでは特別な存在だと思います。

すべてのカナダ人とカナダ学校の先生にとても歓迎していただき、本当にありがたいです。皆さん本当に未来を見ていてくださって、とても許されている感じがします。たとえば、さっきも言いましたけど、そこに立っている校長先生のおじさまに当たる方はこの香港戦で日本人の捕虜になって、横浜に連れて行かれて、広島で命を落としているんです。でも、わけへだてなく接してくださいますし、校長先生のご家族の皆さん、日本が好きと言ってくださって。校長先生はここに来る前は日本で教えていらっしゃって、すごく日本を愛されていますが、そういうことを感じるので、すごくありがたいです。

「カナダ人記念式典」が特別なのは、「日本」の存在が「無色の他者」という状態から、現実の日本人とカナダ人が交流によって再び自らの役割を取り戻し、しかも「敵役」ではなく、和解して共同に記念する姿で登場しているということだ。もちろん、日本領事館のような公的機関ではないので、S氏のケースの代表性を大げさに考えるべきではない。ただこれらは香港政府の記憶の扱い方と明らかに違う。香港政府は、中華人民共和国の公定民族意識を操作するので、中国共産党の功績を認めた上で、日本軍の残酷性、軍国主義の不正性を強調し、中華民族の悲惨を指摘し、中華民族の団結を主張しているのだ。

2　政治動員、社会運動、および戦争記憶の操作

二〇一〇年代、香港において「本土派」という政治勢力が台頭してきた。本土派の中に

は、香港の「自治」や「独立」など異なる政治的主張が存在する。彼らは自らの政治的信念を宣伝し、構成員が選挙に出馬し、社会運動を行ってきた。本土派に共通する主張は中国共産党政権を批判すること、中国大陸の社会文化の問題をしばしば指摘すること、香港と大陸の相違点や香港人アイデンティティを強調すること、主体性を確保すること（社会福祉は香港人優先、中国大陸の観光客の過剰な流入を抑制、移民政策決定権を大陸側から回収などを主張）、香港と大陸の一体化に反対すること、などである。

†本土派による記憶ブーム

本土派の台頭とともに、香港戦をめぐる記憶と重光記念日への注目度が高くなってきた。二〇一一年七月一日に成立した団体「香港自治運動」（Hong Kong Autonomy Movement、香港の自治を唱える団体）は、同年八月二七日に中環の平和記念碑と香港大会堂で自発的に重光記念日の記念式典を行った。参加したメンバーと一般市民は二〇人くらいであった。二〇一二年八月二五日にも同じ場所で重光記念日の記念式典を行った。

二〇一四年の雨傘運動後、本土派と見なされる政治団体があいつぎ成立した。香港戦と「重光」をめぐる記憶は、彼らが注目するテーマである。

二〇一五年一月に結成された本土民主前線（Hong Kong Indigenous、以下本民前）は、成立してから二〇一八年一二月まで、公式フェイスブックページで、香港戦と「重光」に関して少なくとも二二回にのぼる投稿やシェアをしている。同じく二〇一五年一月に成立した青年新政（Youngspiration、以下青政）は、同じ期間に一一回、二〇一六年三月に成立した香港民族党（Hong Kong National Party、以下民族党）は四回の投稿やシェアを行っている。これらの投稿やシェアには、香港戦や重光記念日に関する紹介や評論があり、他の団体が主催する講演会や現地考察団を宣伝することもある。

しかも彼らは、退役軍人団体やカナダ総領事館などが行う記念行事への参加も呼びかけてきた。たとえば、本民前と青政は、二〇一五年八月三〇日、後述する時代思進（Watershed Hong Kong）が西湾墳場で行った記念行事への参加を呼びかけた。本民前は、二〇一六年八月二八日と二〇一八年八月二六日に同じ場所で香港楽善会[17]（HKOR Benevolent Association、以下楽善会）が行った記念行事、二〇一七年一一月九日に平和記念碑で退役軍人団体が行った平和記念日式典への参加をそれぞれ呼びかけた。民族党は二〇一七年八月二七日に西湾墳場で楽善会が行った記念行事への参加を呼びかけた。

民族党の招集者である陳浩天（Andy Chan Ho-tin）や本民前の発言人である梁天琦（Edward Leung Tin-kei）は、自らそれぞれの記念行事に出席した。さらに、二〇一七年八月二八日に、本民前のもう一人の発言人である黄台仰（Ray Wong Toi-yeung）、青政の招集者である梁頌恆（Baggio Leung Chung-hang）、メンバーの游蕙禎（Yau Wai-ching）、民族党の陳浩天、さらに香港民族陣線（Hong Kong National Front）と星火同盟（Spark Alliance HK）の代表者は記念活動を行い、西湾墳場で献花と黙禱をした。当日の映像は各団体のフェイスブックページにアップロードされている。彼らは、本土派と見なされる政治団体の指導者であり、主流メディアによく登場する代表的人物である。以上から見ると、本土派は香港戦と「重光」をめぐる記憶を非常に重視している。

†時代思進の活動

西湾墳場での記念行事を行った時代思進は二〇一五年八月に成立し、創立当初の指導者は梁継平（Brian Leung Kai-ping）、李啓迪、袁源隆、葉坤杰、呉偉嘉であった。公式フェイスブックページによれば、時代思進は、「香港の一般市民で結成され、香港の歴史と文化に対する人々の関心を喚起する」団体である。一見すると、単なる研究会や同好会だという印象を受ける。しかし、梁継平と李啓迪は、それぞれ二〇一三年度香港大学学生会（香港大学学生自治会）の機関紙である『学苑』の編集長と特集号の編集者であり、『学苑』編集で学生会が出版した『香港民族論』の筆者である。『香港民族論』で、梁は「香港民族主義」を唱え、李は、香港は「民族自決の権利」を有すると主張している（李・梁、二〇一五)。袁源隆は二〇一四年度の『学苑』の編集長であり、二〇一六年香港立法会の補欠選挙(新界東)で立候補した梁天琦の応援演説会で発言をした。なお、五人のうち、二〇一五年一一月に梁と李はすでに時代思進を離脱しており、葉坤杰は「香港独立」を擁護しないと表明している。

時代思進の政治的意図について、即断できないが、中国共産党に対する批判的な姿勢はいくつかの投稿からうかがえる。たとえば、二〇一五年一一月一七日に、サッカーのワールドカップで中国対香港の試合があった時、香港の観客が中国国歌にヤジを飛ばした。当時の香港中文大学の校長、沈祖尭(Joseph Sung Jao-yiu)はそれに対し、自分のブログで「不安で心が痛い」と言い、中文大学の創設者の一人である銭穆(Ch'ien Mu)の話「君は中国人であり、中国を忘れなるな!」を引用した。沈の感想に対し、時代思進は二〇一五年一二月三日にフェイスブックに「沈先輩は本当に銭穆の学説と彼の心の中の「中国」を理解したかどうかわからない」と投稿した。さらに同日、銭穆の『中国思想史』の「今中国で蔓延している共産主義は、せいぜい骨格と血肉がある生ける屍になる」を引用した。

時代思進は香港戦と重光記念日に関する話題を投稿し、軍事や歴史に関する情報をシェアする。第二次世界大戦などの時期に使用された銃の模造品の予約購入サービスも提供した。また、記念行事と香港戦についての歴史をたどる現地考察団を組織し、香港戦を記念するための作文コンクールも開催した。最も注目をあびた活動は「The Living Monuments」である。[18] 目的は香港戦への認識を喚起することにあるという。三〇人の参加者は、二〇一六年一二月に尖沙咀、湾仔、中環で、当時の香港義勇防衛軍（Hong Kong Volunteer Defence Corps（HKVDC））の軍服を着て、当時の軍人の姿を再現した。

†メディアと論客の注目

以上の団体以外に、近年、政府に批判的な『蘋果日報』も香港戦と「重光」をめぐる話題を重視し、多くの報道を行った（二〇一五年～二〇一八年にかけて少なくとも三七本の報道が確認できる）。これらの報道は、記念日に関する情報や歴史的紹介だけではなく、政府が香港戦と重光記念日を忘却し、退役軍人を支援しない、などのことを問題提起し、批判的な姿勢を示している。

一方、体制擁護的な『文匯報』や『大公報』は、香港戦と「重光」をめぐる言説や記念活動を懐疑の目で見ている。二〇一七年一月五日の『大公報』の「A1」（第一面全面）で、時代思進が行った「The Living Monuments」を「抗戦史を歪曲し、内地人を敵視し、「港独」（香港独立）は軍隊を作り、わざと気勢を上げて人々の注目を集めた」と非難した。

団体とメディア以外に、本土派を支持する、あるいは本土派の評論家も香港戦と「重光」をめぐる記憶に着目している。たとえば、陳雲（本名は陳云根〔Horace Chin Wan-kan〕、香港自治運動の初期の指導者）、李怡（Lee Yee）、練乙錚（Joseph Lian Yi-zheng、時代思進の作文コンクールの審査を担当）、盧斯達（Lewis Loud）などである。彼らは本土派と見なされ、文章は共通して中国共産党の悪質さを指摘する。同時に、香港戦、「重光」と香港の主体性を結びつけながら論じている。これらの文章を読むと、本土派にとって、「重光」や「保衛戦」などの言葉は、さらに中国政府を批判する時のレトリックになったことがわかる。

†スポーツ、エンターテイメントと記憶ブーム

この記憶ブームは、政治団体、反政府メディア・評論家にとどまらず、スポーツ団体や大衆文化にまで広まった。「Run the World」というマラソン同好会は世界中のマラソンに関する情報を提供し、自らもマラソン大会を開催する団体だが、歴史の普及と退役軍人への募金のため、二〇一五年以来、毎年「香港保衛戦記念跑」というマラソン大会を開催している。香港島のいくつかの香港戦時の軍事遺跡をめぐるルートで、ゴールは多くの戦没者の墓がある赤柱軍人墓地である。

『一九四一的聖誕』（Christmas at the Royal Hotel）という香港戦をテーマとする映画は二

〇一八年に上映され、『蘋果日報』、時代思進、「Run the World」、學生独立連盟（Students Independence Union、本土派政治団体）などが報道し、シェアした。

また、香港の女性歌手林欣彤（Mag Lam Yan-tung）は二〇一八年に「重光記念日」という歌を発表した。その歌はラブソングに聴こえるが、実は重光記念日が忘却されたという批判的な意味も有している。作詞者である梁栢堅（Leung Pak-kin）は、二〇一〇年代以後、香港のポップ・ミュージックの歌詞を書き直し、二次的創作物として「富士康下」「Umbrella」「黒警正伝」など多くの香港政府、香港警察、親中派、中国共産党、中国社会を批判し、雨傘運動などの社会運動や民主主義を支持する作品を作った。

前章でも述べたが、全人代の常務委員会は二〇一四年二月に、毎年九月三日を中国人民抗日戦争勝利記念日、毎年一二月一三日を南京大虐殺犠牲者国家追悼日とそれぞれ定め、のちに香港政府もそれに追随した。また二〇一五年には「抗日戦争勝利七十周年」ということで大規模な観兵式があった。こうした動きと愛国・民族意識のイデオロギーに対する抵抗が、前述の記憶のブームを呼んだ理由の一つであると言えるが、背景としてより多くの要素を考えなければならないであろう。

†英雄の再生、共同体の再構築および政治動員

本土派の基礎は、香港アイデンティティに基づく共同体である。共同体を強化するため、自らの歴史の特殊性を強調することは一般によく見られる。本土派と見なされる評論家や政治団体はそれをつねに意識している。盧斯達は二〇一四年九月六日に『本土新聞』のフェイスブックに掲載された「記憶の争奪――「重光」と「抗日」の争い」という文章で、「香港は「重光」を捨てて「抗日」を取った。これは香港の主体性が中国に移転されたと見ることができる。なるべく香港人を一三億人のその人民とその土地の全体像に溶け込ませようとしている（中略）香港の過去は、今日の中国のために奉仕する。全体主義に抵抗するならば、まず「自己」が必要である。自分はどこから来るのか？　歴史から来る（形成される）のであり、記憶から来る（形成される）のである」と述べている。言い換えれば、盧は香港が主体性を再び獲得するためには、歴史や記憶を重要視しなければならないと主張している。

二〇一五年八月一七日に本民前はフェイスブックページで重光記念日式典に出席を呼びかける文章で、「香港共産党政権は歴史を支配し、香港人の本土意識を喪失させるので、香港人は決して香港重光の歴史を忘却してはならないのである。政権は何かと史実を歪曲

するから、我々は歴史の真相を守らねばならず、その当時香港を守るために身を捨てて仁を成した英霊を祭る」と論じている。その後、二〇一六年八月二八日には「香港に属する歴史を再建し、香港を守った烈士に敬意を表す」、二〇一七年に「香港人は香港に属する歴史を理解する責任がある。それは香港で起きた戦争、かつ香港を守った軍人（に関する歴史）を含む」と論じた。

また、民族党は二〇一六年八月二四日にフェイスブックページで重光記念日の式典への出席を呼びかけた際、「歴史は香港民族を構成する不可欠な部分であり、歴史を理解して守るのは、香港人の民族意識を強固にするだけではなく、退役した軍人と戦没将兵への基本的な敬意を表すものである。将兵らが香港を守るため、わが身を捨てた無私な貢献は、香港人のひとりひとりが銘記する価値がある」と論じている。

以上の例から見ると、本土派は、香港戦と「重光」をめぐる記憶は香港に特有な歴史だと強調し、さらにその記憶を香港の主体性と結びつけている。民族党はより率直に、その記憶は「香港民族」を構成する一部であり、「民族意識」を強固にする資源だとはっきり語っている。しかも、彼らはさらに「烈士」「英霊」などを強調している。

歴史は、現在の複雑で不透明な世界において、単純で明確な事実を示してくれ、政治指導者はつねに自らを過去の英雄と比べながら、伝統の後継者としての地位と正統性を手に入れる（マクミラン、二〇一四）。特に第二次世界大戦には、「道徳的に曖昧さのない最後の良き戦争だったという連合国側の感情」があり、人々はその記憶を訪ね、価値観を補強する（同前）。

二〇一一年八月二七日に香港自治運動は自発的に重光記念日の活動を行い、同日「英霊は不滅、浩然の気は永（遠に）存（する）――香港自治運動「重光記念日」宣言」をウェブサイトに掲載した。「我々は自発的に今回の記念活動を行い、香港重光の六六周年に、和平記念碑に献花し、しばし黙禱し、浩然の気と正義を代表する龍獅香港旗を高く挙げ、この美しい土地のためにわが身を犠牲にした烈士を記念し、ファシズムの暴政に抵抗して自由を大切にする偉大な精神を継承し、香港という城邦（都市国家）の自主と尊厳を守ることを決意する」。

『香港民族論』で編集と執筆を担当した梁継平は、二〇一九年七月一日の立法会突入事件で、議事堂でマスクを外して立法会を占領し続けようと呼びかけた。実は三年前に、すでに彼の行動を予見できる発言がある。二〇一五年八月三〇日に、彼はある重光記念日の式典に出席し、次のように発言した。「もし危機が香港に起きたら、僕は同じく自らの家を守る勇気があるか。もし召命が僕に与えられるなら、僕は責任を負う決心があるか。もし危険が迫っているなら、僕は同じように最後まで戦う勇気があるか。僕は軍隊に参加したことはないが、僕とこの七〇年前の校友（一九四一年に香港戦に参加して犠牲になった洪檠釗）を結びつけているのは、自分が好きな人とこの土地を守りたいという同じく純粋な気持ちだろう」（Watershed Hong Kong, 二〇一五年八月三一日）。

梁継平の発言は、香港自治運動の宣言と同様に、第二次世界大戦時の敵であった日本軍と、当時日本軍に陥落した香港を今日の中国政府・香港政府と香港社会と結びつけ、敵が来たら香港のために作戦し犠牲になる、という精神を強調している。彼らは「烈士」の道徳の後継者として正統性を獲得し、暴政に抵抗し、正義と自由という偉大な精神を継承すると主張し、「自分が好きな人とこの土地を守りたい」と宣言をしめくくっている。

†言葉の再利用および中国共産党への批判

香港において「保衛戦」「淪陥」（陥落）「重光」「光復」（取り戻し）などの言葉は、第二次世界大戦の当時と、その後の歴史を論じる際に使用される。「敵」は言うまでもなく日本であった。しかし、本土派の指導者たちにとって、語るべき対象は日本ではなく、中国共産党政権である。このため、彼らの言説では「日本」の存在感がかなり薄い。また本土派、本土派寄りのメディア、さらに一般市民は「保衛戦」「淪陥」「重光」「光復」などの言葉を再利用し、今日の香港の状況を第二次世界大戦の時期に結びつける。以下、例を見ていこう。

本土派の代表的指導者の一人である陳雲は二〇一一年八月二三日に『am 730』に掲載された「淪陥与重光」で、次のように語る。

重光という名は、香港が陥落し、暴虐な統治をされた三年八ヶ月の悲惨な歴史を人々に想起させる。九七年に香港の主権を接収した後、中共が心中やましいところがあり、重光（記念）日を取り消したのは、まさに香港人がいつの日か眼前の情景に触れて感情が動き、香港が再度陥落したことに気がつくことを恐れたためである（中略）いわゆる陥落とは、大陸からの観光客が街のあちらこちらに満ち溢れて喧騒を成し、大陸の妊婦が南下して出産するのみならず、（香港）本土の財産と尊厳が簒奪《さんだつ》されることである（中略）中共は少しずつ香港本土の各種の権利を奪い取り、一国二制度を踏みにじる。もし香港人が奮起して抵抗し香港の自治権を行使し、共産党の悪行を止めなければ、香港の陥落の時は近いのである。

『熱血時報』は二〇一五年九月一日の「香港民族を重光（解放）するためしっかりと準備する」で、八月三〇日の重光記念日に言及した上で、次のように論を展開している。

今日、香港人は依然として共匪（匪賊である中国共産党）の魔手の闇の中で生存し、（自らを解放する）重光の日ははるかに遠い（中略）雨傘革命で惨敗した後、我々地元の香港人は（中略）諦めずに道を探し（中略）多くの抗争を行い、地域社会を復興し、野蛮な賊を駆除した。（中略）香港地元の小販（屋台）が生計を立てる権利を守り、地元の飲食や生活文化を保存する。「大媽」（中国大陸の中年女性）が街並みを汚し、騒音を出して、道を占拠して物売りをすることに反対し、大陸の劣悪な生活習慣が香港に悪影響を及ぼすことを阻止する。

また、陳雲は『香港保衛戦』で、「香港は中国の植民戦争に向かい、中共は香港の前線に双非人（両親は香港市民ではないが自身は香港生まれで香港永住権者）、観光客や密輸人を送り」と論じている（陳、二〇一三）。民族党は二〇一六年六月一七日に「第二次香港保衛戦」を投稿し、銅鑼湾書店の店長と株主らが失踪した話を取り上げて中国政府を批判しながら、「民族（「香港民族」）の権利」を守るために武器を取って抵抗しようと宣言した。翌年六月二七日、民族党は「二十年間中国に植民され、香港はいつ解放されるのか」と投稿し、彼らが開催する「哀悼香港淪陥二十年」集会への参加を呼びかけた。政党「熱血公民」（Civic Passion）の主席であり立法会議員である鄭松泰（Cheng Chung-tai）は二〇一七年一二月二七日に「最後一場香港保衛戰」（最後の香港防衛戦）という文章で、香港の経済体制を守るために（香港ドルを守るために）大陸のアリペイ（支付宝）を香港で実行しないように呼びかけた。二〇一八年八月一一日に尖沙咀で学生独立連盟は、「大媽」が歌を歌ってチップを稼ぐのは違法行為だと主張してデモを行い、『蘋果日報』は「天星保衛戦」と題してこれを報道した。

二〇一九年六月からの香港の大規模な社会運動で使われた「光復香港、時代革命」（香港を取り戻せ、時代の革命だ）というスローガンは、元々本民前のリーダーの梁天琦が二〇一六年の立法会新界東地方選区補選に出馬する際に使用したものだった。そこでの「光復」は、一見すると戦争記憶につながっていないが、前章で述べた通り実は戦後から一九五〇年代まで、重光記念日を光復記念日と呼ぶことがしばしば見られた。歴史上、孫文の「光復会」があり、国民党も「光復大陸」などの言葉を使うが、香港にとって、現実に起き、「光復」と大衆に記憶されている出来事は、日本の統治が終わったことである。前述のように、本土派は戦争記憶を用いて香港の現状と中共政権をよく語る。そこから見ると、「光復香港」は香港の主体性を反映できる記憶に根付いている。

こうした言論の話だけでなく、二〇一九年八月三〇日に、重光記念日が実際に香港人の今現在の社会運動につながっているということが改めてわかった。当日、「重光」の七四周年をきっかけに中環の平和記念碑で「感謝勇武×重光記念日」（勇武に感謝、重光記念日）という集会が行われ、多くの市民が集まったが、彼らは右目を隠しながら（二〇一九年八月一一日に義務救急員を担当した若い女性の右眼が警察のビーンバッグ弾に命中された事件を象徴）「香港保衛戦」（The Defence of Hong Kong）と書かれたスローガンを持っていたのである。またカナダとイギリスの国旗も掲揚されていた。

この集会から見ると、香港の主体性を象徴する重光記念日が、正式に大規模な社会運動とつながってきたことがわかるだろう。ここに戦争記憶の中の戦没者と抗争運動の中の香港人、という「継承」の想像的関係が実現されている。前述の本土派のリーダーたちはそれぞれの言説で「継承」の関係をよく取り上げていたが、その時点では実際に「敵」と「戦う」「継承者」は顕在化していなかった。二〇一九年六月に社会運動が始まると、「勇武派」、つまりデモ隊の前線で警察と衝突する人々が多数出現した。二〇一九年の重光記念日に、記憶の中の「勇武派」である戦没者と現実の「勇武派」である人々がようやく連結されたわけだ。「香港保衛戦」という言葉も一九四一年の香港戦と二〇一九年の社会運動という二つの意味を持つようになった。記憶と現実の連結は二〇一〇年代以降の「本土派」の操作を超え、社会運動の参加者に共有されるようになったのである。

†反共と戦争記憶

歴史を遡ると、日本に関わる戦争記憶を中共政権に結びつけるレトリックは最近始まったものではなく、一九五〇年代の香港にすでに存在していたことがわかる。一九五〇年代前後のイギリスの外交文書から見ると、中共が香港に侵攻することを防ぐため、イギリスはすでに、英連邦の各国に連絡し、軍事の支援や調達などいろいろな対策を考えていた(Hyam, 1992)。香港域内の世論もイギリス側と同様に、中共政権の登場を予想して警戒していた。戦争記憶はそれらの世論にとって良い材料になった。特に中共政権と敵対する親国民党のメディアには、そういう傾向が明らかである。

一九五〇年八月三〇日の『工商晩報』に、「重光記念日に感あり」という評論がある。その文章には、ソ連は「ファシズムの余唾《よだ》を拾い、共産主義の旗を掲げ、独裁政治をとり、集産(経済と社会福祉への集約化と統制化)の実を行う。人類の基本的自由を捨て、独裁政治をとる」と非難した上で、中国大陸も「政体が変わった」と言い、香港は「東アジアの一つの地域であり、中国大陸に近い。その香港が感じる危険は、日本による陥落前夜のようだ」と喩えた。しかも、駐香港軍隊の防衛力が十分だと認めた上で、「守る側の要諦で、軍が十分に糧食が足りている以外に最も重要なのは、民心の問題である! 香港というこの土地の損失は自分と非常に関係があると市民に知らしめる。香港の喪失は、自分の生命や財産を失うことと同様である。香港が安全ならば、自分の生命も財産も安全になる、と市民に伝えれば、百万の市民は百万の戦士となる！」と論じた。

一九五一年八月三〇日、『工商日報』には、「反侵略の意識を補強！——香港の重光を記念して」という評論が掲載された。その中では「日本軍国主義は過去のことになったが、これに代わって共産軍国主義が勃興した（中略）中国大陸は赤い魔の手に落ちてしまい（中略）今日の重光記念日にあたり、侵略者は必ず敗北し、侵略者に反対する人々は必ず勝利するという真理を認識すべきである。同時に、より自由な土地に暮らしている中国人である我々は、自分の責任を認識すべきである」と論じている。

同紙は、一九五二年八月三〇日の「香港重光記念日」に「我々は当時の日本侵略者の凶暴な様子を忘れない」「香港のすべては、我々中国人と密接な関係を持つ。過去は言うまでもなく、香港の重光以降、復興の力の九割は中国人によるものだと言える」と論じている。

『工商晩報』は、一九五五年八月三〇日に「香港重光記念日には、みんなで光明の精神を保持し、ともに暗黒の妖魅《ようみ》を消滅させよう」と題して、中国共産党は「戦局が終わって中央政府（国民政府）の兵力が不足した際、機に乗じて中国大陸を強奪し、日本軍閥の横暴なやり方に、ソ連の極悪な独裁の手段を加えて統治政策とする」と描いている。さらに、一九五六年八月三〇日「香港重光記念日、新しい危険を排除しなければ記念の意義を失う」で、以下のように述べている。「侵略者である凶暴な敵——日本がすでに降伏したので、香港はこれから永遠に暴力の脅威にさらされないだろうと思いきや、新しい邪悪な力——中共が出てきた。その凶暴さと非人間性は日本より万倍である」。一九五八年八月三〇日には、「香港重光記念日をきっかけにして、香港住民は安全組織を発足させ、香港の安全を損なう者全てを滅すべきである」と掲載した。

以上の例は、一九五〇年代の中国共産党に反対する『工商日報』と『工商晩報』の記事を中心にしたが、六〇年代まで類似の社説は『華僑日報』でも見かけられた。中国共産党に強くつながっていた一九六七年の香港「六七暴動」の翌年、一九六八年八月二六日の「香港重光記念日に感じたこと」では、「香港は三年八ヶ月の苦難から解放されて生まれ変わり、日本軍閥に奴隷として使役される束縛と圧迫から脱出した」「今日四〇〇万に近い住民は(中略)香港を立て直した戦友である。この美しく自由な都市は、彼らの勇気と不屈の気力、知恵の結晶である。それは努力の記念品のみならず、彼らの将来の運命を託するものである。彼らは香港の繁栄を保持し発揚する権利を持ち、次の世代の幸福を確保すると同時に、烈士が勝ち取った自由を守り、彼らが流した熱い血潮を無駄にしない義務がある」と論じた上で、「二三年前、重光（解放）されたアジア地域の一部は再び闇に落ちた」と述べている。一九六八年の文章では中共に直接に言及していないが、批判的な論調は変わっていない。

これらの社説の共通点は、戦争期の日本を強く批判した上で、中共を日本軍国主義と同列に扱い、中共からの脅威は日本による陥落より恐ろしい、と読者に連想させていることと、同時に香港の中国人にとっては「家」である、自由な香港を守ろうと呼びかけていることだ。

比喩の構成――本土派と親国民党メディアの相違点

二〇一〇年代の本土派の言説における比喩の構成は一九五〇・六〇年代のと同様に、中国共産党が主意（Tenor）であり、日本は媒体（Vehicle）ということである。また、香港という共同体を強調している。

異なる点は、五〇・六〇年代のほうの「日本」の存在感の強さである。五〇・六〇年代はまだ戦争期からそれほど時間が経っていなかった。これはもちろん日本を強く批判する理由の一つである。しかし、もう一つの理由として、中国人というアイデンティティの強さが関わっている。中国人アイデンティティが強いほど、日本軍の悪質さはより強調される。『工商日報』『工商晩報』や『華僑日報』のようなメディアは中共に反対しており、中華民国寄りの「右派」と目される。日本軍をめぐる解釈は中華民国の公定的歴史叙述に沿っている。したがって、「日本」の悪質さと中国人の「悲劇性」「団結」「勝利」という構図はより明確に表現されている。また、中国人としての戦争記憶と感情の対象となる範囲には香港だけではなく、中国大陸も含まれている。南京大虐殺や「慰安婦」などの戦争犯罪は、言うまでもなく中国人の共通の記憶である。

一方、今日の本土派の論説では、中国人アイデンティティの代わりに、香港アイデンティティがより強く意識されている。中国大陸をいっそう他者化しながら、香港の特殊性と主体性を保持・増加しようとするのが彼らのねらいである。

さらに、今日の中国政府は戦争への発話権と解釈権を掌握し、「抗戦」と「南京」をめぐる記憶はすでに公式的に回収され、公定民族意識を強化する手段になった。香港戦と陥落期の時期を通じて、日本軍によって多くの香港住民も殺された。このような記憶は一見して大陸と無関係だが、実際には華人同士の感情的な絆（Bonding）は強く、その絆は公定民族意識と容易に分離できるわけではない。香港にせよ、大陸にせよ、日本軍の悪質さに言及すると公定民族意識と合流せざるを得ないのである。それゆえ、本土派は日本軍による大陸と香港への侵略、戦争犯罪を十分理解していても、公定民族意識に抵抗するため、そのような話を回避する戦略をとる。公定民族意識はまさに本土派が唱える香港アイデンティティへの対立的イデオロギーだからである。

†歴史のなかの「日本」

二〇世紀になり、日本の中国に対する野心はだんだん大きくなってきた。中国と英領香港の境界を自由に越えられる香港にいる華人は、自分の国が日本に攻められることを実感し、対日抗議運動を次々と行なった。そして一九四一年から四五年まで、英領香港は日本に占領された。つまり、戦前の香港での対日抗議運動は、香港の人々が「中国人」として直接日本軍の侵略に反応した結果である。

戦後、香港で生まれ育った若者は、一九七〇年代初めの「釣魚台争議」をきっかけに、対日抗議運動に参加し、民族への帰属感を強化した。一九八〇年代や九〇年代になると、香港人は、香港アイデンティティを持ちながら、華人や広義の中国人というアイデンティティも有するようになった。また対日抗議運動によって香港人の民族意識が強化され、返還への支持に転化されてきた。だが、一九八〇年代や九〇年代に生まれた香港人は、それ以前の人々と異なる。香港が最も好況な時期に育ち、香港大衆文化を享受し受け継ぎ、香港との経済格差がまだ大きい中国大陸に対する帰属感は相対的に小さかった。

香港政庁にとって、重光記念日、平和記念日、およびそれらに対する式典は、イギリス政権の合法性と権威の表象化および華人の統合と承認という機能があり、ある程度ローカライズされた戦争記憶を市民に提供する枠組であった。それらの「記憶の場」では、中国人としての民族意識を喚起する日本の軍事行動や戦争犯罪などの記述がなく、意図的であろうか、偶然であろうか、「日本」はまるで「無色の他者」になる。

しかし、一九九七年以降、香港政府は中華人民共和国の公定民族意識を高めるため、香港戦と陥落の歴史の特殊性を希薄化させながら、博物館、記念行事、歴史科目の学習指導要領、国民教育企画などの「記憶の場」に中華人民共和国の公定民族意識を導入しつづけている。「悲劇」「団結」「勝利」という民族の物語を語るため、「日本」という「民族の敵役」の悪質さを強調し、頻繁に登場させている。

一方、返還以降もイギリス統治の遺産としての「記憶の場」、すなわち物質的な場、機能的な場、象徴的な場はまだ残っている。それらを返還後の香港政府が扱う「記憶の場」と比べると、「無色の他者」と「民族の敵役」の対比がより鮮明に表される。戦争記憶は政治的操作によって複雑性と多様性を失い、人々の日本に対する恨み、理解、寛恕《かんじょ》、友好という多面的な態度はつねに抑制されている。

二〇一〇年以降、戦争記憶は現在の政治問題と社会運動に直結してきた。香港人、特に若い世代は中国政府からの圧迫、あるいは「中国化」の進行を感じている。このような動きに反発し、香港人自らのアイデンティティを強化し、「本土」という理念を唱える動きが生まれている。本土派と多くの香港人はイギリス統治の遺産を継承し、香港を主体として香港戦や重光記念日を再び強調し始めた。日本に関わる戦争記憶は、従来と同じく香港人の民族意識を喚起するメカニズムであると同時に、逆に香港人が民族意識から離脱するメカニズムにもなってきた。

本土派の台頭とともに、香港戦や「重光」をめぐる記憶のブームが起きた。戦争記憶は本土派にとって、道徳と正統性の源を探す、香港人共同体の再構築および政治動員をする素材である。彼らの記憶への扱い方はまさに、戦争記憶を利用して公定民族意識を導入する香港政府と正反対になった。しかも、本土派が戦争記憶を利用し共産党を非難する言説の構成は、実際に一九五〇年代からの反共メディアの言論に遡ることができる。両者ともに、中国共産党は主意（Tenor）であり、日本は媒体（Vehicle）である、というレトリックを用いる。ただし、語り手が読者に伝えたいアイデンティティ意識によって、「日本」への描き方、「日本」の存在感はかなり異なる。

おわりに

†「日本と香港」というテーマ

二〇一五年に香港の大学を卒業する時点で、どこかに留学に行き、将来、学問を修めて文章を書く人になりたい、との考えはすでにあった。それで日本の優れた文学、独特な社会文化、強いソフトパワーに興味を持っていた私は、日本に留学することにした。とはいえ、興味と研究は違うものだ。日本の大学院を受験できるレベルの日本語を身につけたが、研究計画はなかなか立てられなかった。そこで私は、日本と自分の出身地・香港との関係を考え始めた。

自分でもおかしいと思うが、私は浜崎あゆみの曲を懐かしく思う。小学生の頃、二番目の姉が「あゆ」のコンサートのＤＶＤを何回も実家のテレビで見ていたからだ（しかも彼女が「キャー！」と香港に来たあゆを迎えるシーンは、あゆのＤＶＤに一秒くらい収録されていた）。一番上の姉は福山雅治、KinKi Kids、GACKTなどが好きだったが、同等の愛を

『クレヨンしんちゃん』にささげていた。実家には漫画全巻が揃っている。

父親はある日、競馬で負けたのだろうか、娘の「日本愛」にうんざりしたのだろうか、とにかくイライラしてこう言った。「俺の姉は日本軍の爆弾で死んだ」

私の日本に留学する決定を知った彼の第一声は、「日本人の嫁を連れて帰れ」だった。


実はその前に、気になる日本人に出会っていた。

二〇一四年に私が交換留学でエストニアに行った時のことだ。その最初の日だった。寮に着いてしばらく落ち着いた時、同じ学校から来た香港人の女の子が「君のユニットにもう一個枕ある？ 隣の部屋の日本人の子が持ってなさそうなんだけど」と私にメッセージを送ってきた。私のユニットのリビングは「アジア基地」と呼ばれていて、毎年東アジアからの留学生が帰国する前に、要らないものを置いていくところだった。私は自分の新しい枕を持って、香港人の子を探しに行った。だが迎えに来たのは、日本人の子であった。

その後、三人でたまに一緒に食事をしたり、ちょっと遠いスーパーに行ったりした。ポケモンの日本版主題歌を彼女に歌わせたことと、彼女がふざけて醬油でスープを作っていたことをまだ覚えている（香港の広東系スープは塩以外の調味料を入れないから）。「せっかくヨーロッパに行ったのだからアジア人と付き合わないで」と先輩にさんざん言われたが、やはり欧米人より東アジア人と一緒にいるのが落ち着いた。

「アジア基地」には、私の他に、パソコン専攻の中国東北人と、一冊のエロ本を郷愁として隠し持つ、部屋でスケートの二回転ジャンプをやって見せてくれた新潟県民と、自分の部屋しか掃除しないけど広東語の価値を認めてくれる北京人が住んでいた。そうしたユニットでの毎日のアジア交流の他に、私はエストニアで、韓国語を勉強し始めた。雨傘運動が始まった時に、「홍콩괜찮아요?」(香港大丈夫ですか)と優しく聞いてくれた外国人は、その韓国語の授業の先生だけであった。

研究計画を立てる時に、それらの経験と記憶の影響をどのぐらい受けたのかは自分でもよくわからないが、結果的に香港、日本、中国、戦争記憶、ソフトパワーなどのキーワードは今の形につながったのだった。

†これからの課題

本書の後半では、香港人のアイデンティティと「日本」との関係を考えた。香港人のアイデンティティをおおよそ分けてみれば、中国民族意識と香港主体意識がある。戦後の戦争記憶としての「日本」は、香港人の中国民族意識と香港主体意識につながる、と私は論証した。

また中国民族意識と香港主体意識はしばしば、香港での日本大衆文化の受容に働きかける一方、日本の大衆文化は時々それらの帰属意識を表現する道具とされる。同時に、香港の映画、文学、怪談、ポップソングなどの表象文化における「日本」にも、香港人のアイデンティティの変化とともに異なるイメージがあって、時代と人の意識・無意識により、違う役割を担う。

香港のみならず、台湾や沖縄などの地域共同体の帰属意識と「日本」は、どのような関係を持つのか。「日本」と地域共同体の帰属意識との関係に対する考察は、各地域共同体の多元的帰属意識、および記憶・歴史問題に新たな理解を提供できるだろう。その時「日本」はどのように想起されるのか、どのように語られるのか。この先、そのようなことを考えながら、過去の日本の帝国主義と現在のソフトパワーの潜在的役割を体系的に掘り下げることもできるだろう。

＊

最後に、感謝の気持ちを申し上げたい。まず、香港にいる家族の支えがなければ、私は日本に留学することさえできなかった。そろそろ三〇代に入る長男の永遠に続くかのような学業に文句を言わず、許してくれている親に感謝を申し上げる。そして、指導教員である谷垣真理子先生にはご指導と励ましをたくさんいただき、心強く、いろいろな挑戦ができた。指導学生として受け入れてくださって、いつもありがたく思っている。また、エッセイ「死守」を『UP』に掲載してくださり、筑摩書房を紹介してくださった東京大学出版会の後藤健介さん、編集を担当してくださった筑摩書房の松田健さんと河内卓さんにも感謝申し上げる。

注

第1章

1　民主主義と自由を求めるために中国の学生たちは一九八九年四月から北京の天安門で抗議活動を続けていたが、六月四日に中国共産党の人民解放軍による鎮圧で大規模な流血の惨事となり結末を迎えた。

第3章

2　「警察による恣意的な暴力&逮捕の記録」というウェブサイトは中文、英語、日本語などのバージョンを提供し、大量の映像、写真、報道の記録を保存している。https://tlhkrev.info/ja/police-timeline/

3　一九六六年から七六年まで、毛沢東は中国大陸で全国規模の政治運動「文化大革命」を発動し、それに紅衛兵と呼ばれる学生や労働者による大衆運動を利用した。知識人、文化人、教師、商人、親は批判される対象になり、伝統文化、人倫、文化遺産などは破壊され、毛沢東への個人崇拝が強く唱えられた。紅衛兵の構成員より若い子供は紅小兵に参加させられた。

4　デモに参加する学生たちにはいろいろな物資や装備が必要で、お金がたくさんかかる。特に親中派の親と決裂した学生にはご飯を食べる余裕もない。

第5章

5　一九七五年サイゴン陥落で、共産党政権を恐れるベトナム人は外国に逃げ、一九七五〜九五年まで、香港は一九万人を収容し、マレーシアの次に第二大臨時収容地域になった。

第6章

6　「南京大虐殺」はまたの名を「南京事件」という。一九三七年に、日本軍は中国の南京を占領している間、一般市民に対し、虐殺などの戦争犯罪を行った。今でも中国や日本は、その歴史の規模や犠牲者数などをめぐって議論している。

7　「釣魚台」は、日本において「尖閣諸島」と呼称される。一般的に中国で「釣魚島」、香港と台湾で「釣魚台」と呼称される。一八九五年に日清戦争（甲午戦争）をきっかけに、国際法の先占原則をもとに「釣魚台」は日本の領地に編入されたが、中国政府は、日本が日清戦争の結果に乗じて「釣魚台」を盗んだと主張している。戦後一九五一年に、「日本国との平和条約」により、琉球諸島（「釣魚台」も含まれる）の管理は米国に委任し、一九七二年に米国は琉球の主権とともに、「釣魚台」の施政権も日本に渡した。今でも、日本、中華人民共和国、中華民国がそれぞれ「釣魚台」・「尖閣諸島」の領有権を主張している（王、二〇一八）。

8　歴史教科書問題とは、中国、香港、台湾、韓国などによる、日本国内において出版された歴史教科書の中の、第二次世界大戦についての内容に対する非難から、外交問題に発展した問題である。

9　日本の汽船第二辰丸は、マカオのポルトガル人銃砲商が注文した銃器、弾薬を運び、マカオに近い水域で清国に武器密輸の嫌疑で拿捕され、日章旗を撤去され、広東に回航された。日本は清国と交渉し、謝罪と賠償を要求し、清国政府は受け入れることになったが、広東地方で民衆の反発を買った。

10　日本の侵略や「慰安婦」問題に対し、中国、香港、台湾、韓国などの地域の人々が日本側の謝罪を求める。

11　占領期間、香港住民の持つ香港ドルは日本軍が発行した軍用手票（軍票）と交換させられた。戦後、軍票の無効で、人々が持っている軍票は価値がなくなった。戦後から現在に至るまで、軍票についての賠償を求めている人々がいる。

12　「運動が拡大して変質しない」とは、保釣運動が中国共産党のコントロールを超えて、日本への反対から中国共産党・中国政府への反対に転化しない、という意味である（司徒、二〇一一）。

13　「中国週」とは、香港の大学生リーダーが学生たちに「新しい中国」を認識させ、中国共産党の成就と文化大革命の「社会主義新生事物」を宣伝するシリーズの活動である（香港専上学生連会編、一九八三）。

14　一九九八年に通過した『一九九八年假期（修訂）条例草案』により、「抗戦勝利記念日」が除かれた（『立法会会議過程正式記録』一九九八年九月九日）。また、重光記念日の儀式は、「香港を守るため命を捧げた人士」を毎年の重陽節で追悼するようになった（「行政長官演詞全文」香港政府新聞公報、一九九八年一〇月二八日）。

第7章

15　たとえば、一九七〇年に「一九七〇年十一月八日和平記念日、在和平記念碑前挙行典禮儀式程序表」という中国語版のプログラムがある（*HKRS70-3-471, REMEMBRANCE DAY*, 8 November 1970.）。

16　第一次世界大戦終結を記念するためにイギリス国王ジョージ五世（George V）が一九一八年一一月

一一日を平和記念日に定めた。赤いポピーは今でも戦没者を象徴する花であり、そもそも第一次世界大戦中に参戦したカナダの詩人ジョン・マクレイ（John McCrae）の詩「フランダースの野に」（In Flanders Fields）で使った象徴である。毎年平和記念日の頃、人々は退役軍人団体や戦没者福祉団体に寄付し、返礼としてポピーの造花をもらい、それを襟章のように身に着けて記念日に出席する。

17　香港楽善会は青少年向けの慈善団体である。前身は華籍英兵楽善会（British-Chinese Soldiers' Benevolent Association）と香港退伍華籍英兵（水雷炮）楽善会（一八五七－一九九七）（Ex British-Chinese Soldiers' Benevolent Association (1857-1997)）である。

18　「The Living Monuments」の着想はイギリスの芸術活動からである。芸術団体 14-18 NOW と芸術家 Jeremy Deller、監督 Rufus Norris は第一次世界大戦のソンムの戦いを記念するため、二〇一六年一月に「we're here because we're here」というイベントを行った。参加者は戦争期の軍服を着ながら街に出て歴史を再現した。

主要参考文献

○書籍・論文

【日本語】

王偉彬（二〇一八）「1970年代初期の尖閣諸島問題と台湾の世論」『修道法学』四〇巻二号、広島修道大学法学会

瀬川昌久（一九九九）「香港中国人のアイデンティティー」末成道男編『中原と周辺――人類学的フィールドからの視点』風響社

倪捷（二〇一七）「1970年代初期の香港における保釣運動の展開」『華南研究』第三号、日本華南学会

ノラ、ピエール編（二〇〇二）『記憶の場――フランス国民意識の文化＝社会史』第一巻、谷川稔監訳、岩波書店

マクミラン、マーガレット（二〇一四）『誘惑する歴史――誤用・濫用・利用の実例』真壁広道訳、えにし出版

【中国語】

陳学然（二〇一四）『五四在香港――殖民情境、民族主義及本土意識』香港：中華書局（香港）有限公司

陳雲（二〇一三）『香港保衛戦』香港：次文化堂

陳湛頤・楊詠賢編（二〇〇四）『香港日本関係年表』香港：香港教育図書

李啟迪（二〇一五）「香港是否応有民族自決的権利？」香港大学学生会学苑編『香港民族論』香港：香港大学学生会
梁継平（二〇一五）「序言一」香港大学学生会学苑編『香港民族論』香港：香港大学学生会
舒明（二〇〇二）「日本藝術電影在香港、1962-2002年」香港日本文化協会編『香港日本文化協会四十周年特刊』香港：香港日本文化協会
司徒華（二〇一一）『大江東去——司徒華回憶録』香港：牛津大学出版社（中国）有限公司
湯禎兆（二〇〇七）『命名日本』香港：天窗出版社
魏時煜（二〇一六）『東西方電影（增訂版）』香港：香港城市大学出版社
呉偉明（二〇一五）「日本色情電影在香港的歴史考察」『日本流行文化与香港』香港：商務印書館
香港中文大学香港文学研究中心編（二〇一六）『曲水回眸——小思訪談録（上）』香港：牛津大学出版社
香港専上学生連会編（一九八三）『香港学生運動回顧』香港：広角鏡
鄭宏泰・黄紹倫（二〇一八）『香港身份證透視（第二版）』香港：香港三聯書店

【英語】

British Chinese Armed Forces Heritage (BCAFH) Project. (2018) *British Chinese Armed Forces Heritage: Report on the project 2015–2018*, Regent's University London, Ming-Ai (London) Institute
Hyam, Ronald. (1992) *Economics and international relations Part. 2, The Labour Government and the End of Empire, 1945-1951*. British Documents on the End of Empire, A (2). The Stationary Office, London

○新聞・年鑑
『工商日報』一九五一～五二年
『工商晩報』一九四七～五八年
『華僑日報』一九五一～六八年
『South China Morning Post』一九七二年
『香港司法機構年報』二〇一五年

○SNS・ウェブサイト
「本土民主前線」 https://www.facebook.com/hkindigenous
「健吾」 https://www.facebook.com/kengopage/
「青年新政」 https://www.facebook.com/youngspiration
「Watershed Hong Kong」 https://www.facebook.com/WatershedHK/?ref=br_rs
「香港民族党」 https://www.facebook.com/hknationalparty
「香港政府新聞公報（香港政府新聞処）」 https://www.info.gov.hk/gia/general/ctoday.htm
「香港自治運動」 http://hkam2011.blogspot.com
「知日部屋fb」 https://www.facebook.com/nippon.heiya

○香港政庁公文書
重光記念日：

HKRS70-6-991-1, LIBERATION DAY-NC+DIB.1970–1975, Government Records Service, Hong Kong
（以下GRSと略記）
HKRS70-6-991-2, LIBERATION DAY-ENCL.1970–1973, GRS
HKRS70-8-2743, LIBERATION DAY-D+N.1976–1979, GRS
HKRS70-8-2744, LIBERATION DAY-D+N.1984–1987, GRS
平和記念日：
HKRS70-1-234, REMEMBRANCE DAY. November 8, 1967–November 7, 1970, GRS
HKRS70-3-471, REMEMBRANCE DAY. GRS
HKRS70-7-276-1, REMEMBRANCE DAY-NC+DIB.1973–1975, GRS
HKRS70-8-3886, REMEMBRANCE DAY-D+N.1976–1979, GRS
HKRS70-8-3887, REMEMBRANCE DAY-D+N.1980–1983, GRS
HKRS70-8-3888, REMEMBRANCE DAY-E.1976–1979, GRS
その他：
HKRS1594-1-18, THE HISTORY, SCIENCE AND SPACE MUSEUMS SUB-COMMITTEE PAPERS
課程発展議会・香港考試及評核局編『総合人文科（中四至中五）学習資源冊』二〇〇三年
『香港統計年刊』二〇一三年
『中国人民抗日戦争勝利記念日儀式節目製作工作程序表』二〇一八年

○立法会記録

「立法会会議過程正式記録」一九九八年九月九日

ちくま新書
1498

香港《ほんこん》と日本《にほん》
――記憶《きおく》・表象《ひょうしょう》・アイデンティティ

二〇二〇年六月一〇日 第一刷発行

著者 銭俊華（ちん・ちゅんわ）

発行者 喜入冬子
発行所 株式会社 筑摩書房
東京都台東区蔵前二-五-三 郵便番号一一一-八七五五
電話番号〇三-五六八七-二六〇一（代表）
装幀者 間村俊一
印刷・製本 株式会社 精興社

ISBN978-4-480-07323-5 C0295

1193
移民大国アメリカ
西山隆行
止まるところを知らない中南米移民。その増加への不満がいかに米国社会を蝕みつつあるのか。米国の移民問題の全容を解明し、日本に与える示唆を多角的に分析する。

1331
アメリカ政治講義
西山隆行
アメリカの政治はどのように動いているのか。その力学を歴史・制度・文化など多様な背景から解説。アメリカン・デモクラシーの考え方がわかる、入門書の決定版。

1311
アメリカの社会変革
——人種・移民・ジェンダー・LGBT
ホーン川嶋瑤子
「チェンジ」の価値化——これこそがアメリカ文化の杜である。保守とリベラルのせめぎあいでダイナミックに動く、平等化運動から見たアメリカの歴史と現在。

1262
分解するイギリス
——民主主義モデルの漂流
近藤康史
EU離脱、スコットランド独立——イギリスは政治の機能不全で分解に向かいつつある。もはや英国議会政治は民主主義のモデルたりえないのか。危機の深層に迫る。

1327
欧州ポピュリズム
——EU分断は避けられるか
庄司克宏
反移民、反グローバル化、反エリート、反リベラルが世界を席巻！　EUがポピュリズム危機に揺れる理由は、その統治機構と政策にあった。欧州政治の今がわかる！

1477
EU離脱
——イギリスとヨーロッパの地殻変動
鶴岡路人
ついに離脱を現実のものとしたイギリスが失うものとはなにか？　一枚岩になれないEUはどうなるのか？　なお問題山積のヨーロッパの現在を最も正確に論じる。

900
日本人のためのアフリカ入門
白戸圭一
負のイメージで語られることの多いアフリカ。しかし、それらはどこまで本当か？　メディアの在り方を問い直しつつ「新しいアフリカ」を紹介する異色の入門書。

ちくま新書

905 日本の国境問題
——尖閣・竹島・北方領土
孫崎享
どうしたら、尖閣諸島を守れるか。竹島や北方領土は取り戻せるのか。平和国家・日本の国益に適った安全保障とは何か。国防のための国家戦略が、いまこそ必要だ。

1195 「野党」論
——何のためにあるのか
吉田徹
野党は、民主主義をよりよくする上で不可欠のツールだ。そんな野党に多角的な光を当て、来るべき野党を、これからの対立軸を展望する。「賢い有権者」必読の書！

1236 日本の戦略外交
鈴木美勝
外交取材のエキスパートが読む世界史ゲームのいま。「歴史」の和解と打算、機略縦横の駆け引き、舞台裏で支えるキーマンの素顔……。戦略的リアリズムとは何か！

1299 平成デモクラシー史
清水真人
90年代の統治改革が政治の風景をがらりと変えた。「小泉劇場」から民主党政権を経て「安倍一強」へ。激動の30年を俯瞰し、「平成デモクラシー」の航跡を描く。

1355 日本が壊れていく
——幼稚な政治、ウソまみれの国
斎藤貴男
「モリ・カケ」問題、官僚の「忖度」、大臣の舌禍事件……。政治の信頼を大きく損ねる事件が、なぜこれほど続くのか？　日本の政治が劣化した真因を考える。

1488 令和日本の敗戦
——虚構の経済と蹂躙の政治を暴く
田崎基
安倍長期政権の末路ここにあり。崩壊寸前のこの国はやがて「令和の敗戦」を迎える。経済政策の虚構、疲弊する労働者、権力の暴走と欺瞞を気鋭の記者が迫真ルポ。

1495 平成政治史
——政界再編とポスト冷戦型社会運動
大嶽秀夫
政党が離合集散を繰り返し、政界再編に明け暮れる一方、SEALDsや脱原発運動等の新型の社会運動が注目を集める。激動の三〇年を俯瞰する政治史決定版。

ちくま新書

294 デモクラシーの論じ方
——論争の政治
杉田敦
民主主義、民主的な政治とは何なのか。あまりに基本的と思える問題について、一から考え、デモクラシーにおける対立点や問題点を明らかにする、対話形式の試み。

655 政治学の名著30
佐々木毅
古代から現代まで、著者がその政治観を形成する上でたえず傍らにあった名著の数々。選ばれた30冊は混迷を深める時代にこそますます重みを持ち、輝きを放つ。

945 緑の政治ガイドブック
——公正で持続可能な社会をつくる
D・ウォール
白井和宏訳
原発が大事故を起こし、グローバル資本主義が行き詰まった今の日本で、私たちはどのように社会を変えていけばいいのか。巻末に、鎌仲ひとみ×中沢新一の対談を収録。

1176 迷走する民主主義
森政稔
政権交代や強いリーダーシップを追求した「改革」がもたらしたのは、民主主義への不信と憎悪だった。その背景に何があるのか。政治の本分と限界を冷静に考える。

1241 不平等を考える
——政治理論入門
齋藤純一
格差の拡大がこの社会に致命的な分断をもたらしている。不平等の問題を克服するため、どのような制度を共有すべきか。現代を覆う困難にいどむ、政治思想の基本書。

1353 政治の哲学
——自由と幸福のための11講
橋爪大三郎
社会の仕組みを支えるのが政治だ。政治が失敗すると、自由も幸福も壊れかねない。政府、議会、安全保障、年金など、政治の基本がみるみる分かる画期的入門書！

1393 教養としての政治学入門
成蹊大学法学部編
いま政治学では何が問題になっているのか。政治史・政治理論・国際政治・福祉・行政学・地方自治などの専門研究者が12のテーマで解説する、知の最先端への道案内。

ちくま新書

1185
台湾とは何か
野嶋剛
国力において圧倒的な中国・日本との関係を深化させる台湾。日中台の複雑な三角関係を波乱の歴史、台湾の社会・政治状況から解き明かし、日本の針路を提言。

1223
日本と中国経済
――相互交流と衝突の一〇〇年
梶谷懐
「反日騒動」や「爆買い」は今に始まったことではない。近現代史を振り返ると日中の経済関係はアンビバレントに進んできた。この一〇〇年の政治経済を概観する。

1258
現代中国入門
光田剛編
あまりにも変化が速い現代中国。その実像を政治史、文化、思想、社会、軍事等の専門家がわかりやすく解説。歴史から最新情勢までバランスよく理解できる入門書。

1478
漢語の謎
――日本語と中国語のあいだ
荒川清秀
漢字の熟語である「漢語」は、中国から日本に伝来し、また日本から中国へ輸出もされてきた。本書は様々な漢語の来し方を探求し、秘められたドラマを描きだす。

1483
韓国　現地からの報告
――セウォル号事件から文在寅政権まで
伊東順子
セウォル号事件、日韓関係の悪化、文在寅政権下の分断……2014〜2020年のはじめまで、何が起こり、人びとは何を考えていたのか？　現地からの貴重なレポート。

1440
二重国籍と日本
国籍問題研究会編
旧態依然かつ不透明な国籍法の運用で、国籍を剝奪されたり、無国籍者に陥る悲劇やナショナリズムに絡めたバッシングが発生している。どこに問題があるか。

782
アニメ文化外交
櫻井孝昌
日本のアニメはどのように世界で愛され、憧れの的になっているのかを、現地の声で再現。アニメ文化を外交に活用する意義を論じ、そのための戦略を提示する。